Mitterrand raconté par…

Le roman du pouvoir

JEAN LACOUTURE
PATRICK ROTMAN

Mitterrand raconté par

Jacques Bénet, Jean-Louis Bianco, François Dalle, Philippe Dechartre,
Jacques Delors, Roland Dumas, Claude Estier, Laurent Fabius,
Élisabeth Guigou, Marie de Hennezel, Pierre Joxe, Alain Juppé,
Jack Lang, Gilles Martinet, Mazarine Pingeot, Paul Quilès, Jack Ralite,
André Rousselet, Marie-Claire Sarrazin, Philippe Séguin, Hubert Védrine.

Le roman du pouvoir

ÉDITIONS DU SEUIL
27, rue Jacob, Paris VIe

D'après la série télévisée réalisée par Patrick Rotman,
témoignages recueillis et présentés par Jean Lacouture et Patrick Rotman.
© Kuiv Productions, France 3, Field Compagnie.

ISBN 2-02-043862-3

© Éditions du Seuil, octobre 2000

www.seuil.com

Les entretiens ont été réalisés entre juin 1999 et février 2000, les textes ont été revus et parfois enrichis par les interviewés. Robert Badinter et Pierre Mauroy, qui publie prochainement ses mémoires, n'ont pas souhaité que leurs propos, diffusés dans le film, soient repris dans le livre.

Nous ont donné leur témoignage, par ordre d'entrée en scène :

Jacques Bénet, condisciple de François Mitterrand au 104 rue de Vaugirard, compagnon de Résistance.

François Dalle, ami de jeunesse de François Mitterrand, PDG de L'Oréal.

Marie-Claire Sarrazin, cousine de François Mitterrand.

Philippe Dechartre, compagnon de Résistance de François Mitterrand.

André Rousselet, chef de cabinet de François Mitterrand en 1954, directeur de cabinet en 1981.

Roland Dumas, avocat, ministre des Affaires étrangères de 1984 à 1986 et de 1988 à 1993.

Gilles Martinet, fondateur de *France-Observateur* et du PSU.

Pierre Joxe, député, ministre de l'Intérieur de 1984 à 1986 et de 1988 à 1991.

Claude Estier, journaliste, député, puis sénateur.

Jack Ralite, journaliste à *L'Humanité*, député, ministre de la Santé de 1981 à 1983.

Paul Quilès, député PS, ministre de l'Équipement et de l'Intérieur de 1984 à 1986.

Jack Lang, ministre de la Culture de 1981 à 1986 et de 1988 à 1993.

Laurent Fabius, directeur de cabinet de François Mitterrand, Premier ministre de 1984 à 1986.

Jacques Delors, ministre de l'Économie de 1981 à 1984, président de la Commission de Bruxelles de 1985 à 1995.

Hubert Védrine, conseiller diplomatique de François Mitterrand de 1982 à 1991, secrétaire général de l'Élysée de 1991 à 1995.

Jean-Louis Bianco, secrétaire général de l'Élysée de 1982 à 1991.

Philippe Séguin, député RPR, ministre des Affaires sociales de 1986 à 1988.

Élisabeth Guigou, conseillère pour les finances, à l'Élysée, de 1986 à 1990.

Alain Juppé, ministre des Affaires étrangères de 1993 à 1995.

Marie de Hennezel, psychothérapeute.

Mazarine Pingeot, fille de François Mitterrand.

Avant-propos

Le procès historique de François Mitterrand est en cours. Il sera, par sa durée, ses rebondissements, contradictions et outrances, à la mesure de la durée – 50 ans de vie publique, 14 ans de règne, 10 ans de pouvoir quasi absolu – des rebondissements, contradictions et outrances de cette existence moulée sur un siècle convulsif.

Sept biographies déjà, quelques portraits, une vingtaine de livres, essais et pamphlets relevant parfois de l'hagiographie, plus souvent de l'imprécation, une ébauche de « mémoires » interrompus par la mort et plusieurs films contribuent, cahin-caha, au portrait historique du chef d'État le plus « long » que se soit donné la République en France, sans proposer la clé de toutes les énigmes politiques, psychologiques ou judiciaires qui scandent cette carrière multicolore. Clé que ne prétend d'ailleurs pas offrir le présent ouvrage, pas plus que le film dont il est le reflet.

Pour évoquer, résumer ou typifier cette foisonnante traversée du siècle, quelques mots reviennent invariablement sous les signatures les plus variées, dans la plaidoirie comme dans le réquisitoire, composant le vocabulaire, la panoplie verbale de la mitterrandologie : ambiguïté (que l'avocat traduit par ambivalence, le procureur par duplicité), habileté (dont tel ou tel fait la ruse), contradiction, cynisme, professionnalisme, sectarisme, pugnacité, aventure (qui appelle un adjectif dont font leur miel les adversaires), acharnement et naturellement machiavélisme

9

(vocable auquel certains spécialistes de la chose politique donnent une connotation négative, comme un critique musical qui incriminerait *Le Clavecin bien tempéré*...).

Dans l'ample vocabulaire auquel recourent, à propos de Mitterrand, journalistes et historiens, le vocable le plus rarement employé est sincérité – à moins que ce ne soit clarté. Faut-il exclure, de cette ubiquité tournoyante, l'influx de la conviction ? Ce serait se priver d'une des explications de cette énergie, facteur déterminant des grandes carrières, qui ne peut trouver sa source dans la seule *libido* de pouvoir ou de possession.

Quant à l'absence de clarté, cette fourberie si souvent évoquée, elle ne semble ni le propre ni même une caractéristique d'un homme public qui, d'un changement de cap à l'autre, ne cessa d'afficher la couleur (qui d'autre, s'alliant aux communistes en 1973, aurait osé proclamer *urbi et orbi* que c'était pour récupérer leurs électeurs ?). Et si cette couleur eut tendance, en 1983, à perdre de sa rouge flamboyance, était-ce vraiment du fait de l'habileté du maître de l'Élysée ?

Mais quand on a noué entre elles toutes ces composantes, quand à ce bouquet on a ajouté l'esthétisme et l'hédonisme, la passion du « bon plaisir » et, tout de même, le courage physique et politique, peut-on se donner l'illusion de « tenir » le personnage ? A l'un de ses amis les plus proches, André Rousselet, qui lui demandait quelle part de lui on pouvait espérer connaître, François Mitterrand répliquait « 30 % ».

Et pour tout dire, rien ne vaut mieux, pour le mitterrandologue flottant entre clair et obscur, que de situer ce « caractère » dans une perspective romanesque, entre Mazarin et Aramis, entre M. Thiers et Rastignac, entre Clemenceau et le Jerphanion des *Hommes de bonne volonté*.

Maints portraitistes, après François Mauriac, qui écrivait en expert et connaissait aussi bien le personnage du jeune ministre de l'Intérieur que ceux du *Mystère Frontenac*, ont fait de François Mitterrand un héros de roman, ce qui suggère beaucoup et ne dit guère. Romanesque, il l'est à la fois par la complexité de l'intrigue, la trame du récit biographique si riche en péripéties, les contradictions qui font la saveur de personnages comme Lucien Leuwen ou le comte Mosca, et aussi par la passion de la chose écrite et de l'interrogation psychologique.

La dimension romanesque est aussi évidente chez lui, comme chez Talleyrand, Gambetta ou Caillaux, qu'elle est absente chez Jules Ferry, Poincaré ou Guy Mollet. Couleurs du personnage ? Péripéties de carrière ? Quelle part celui-là a-t-il sur celles-ci ? De telles natures inventent-elles, sécrètent-elles l'aventure, l'inattendu, le retournement spectaculaire ? L'événement crée-t-il, met-il objectivement en lumière chez un être le génie de l'imaginaire, l'ange du bizarre ?

En ce sens, aucun événement n'éclaire mieux le personnage que l'affaire dite « de l'Observatoire », cette chute dans un piège grossier où se jette l'homme très avisé. Pourquoi ? Par attirance de la chose romanesque, parce qu'intrigue il y a, qu'il se sait maître en de tels jeux et ne manquera pas de ne faire qu'une bouchée de l'intrigant – oubliant que, dans la pénombre visqueuse, l'artiste est plus fragile que l'escarpe.

Romanesque encore le goût qu'il éprouve, jusqu'à en faire des commensaux, voire un ministre, pour les personnages plus ou moins troubles que Michel Rocard décrivait comme « limite » et dont on peut dire que certains ont transgressé celle qu'imposent la vie publique et le service de l'État. Et c'est encore du roman que relèvent une vie privée polygonale, le recours aux voyantes, le mépris des horaires, les fantaisies vestimentaires et même (ou pire) encore, le recours à des janissaires aux longues oreilles qui font penser aux *Quarante-Cinq* de la cour d'Henri III revus par le père Dumas.

Interrogé à la fin de sa vie sur le point de savoir pourquoi il avait choisi l'action de préférence à l'écriture, pourquoi il avait préféré se manifester en actes périssables plutôt que de tenter d'inventer un Fabrice ou des Rougon-Macquart, François Mit-

11

terrand avouait avoir compris vers sa vingt-cinquième année qu'il était plus doué pour agir sur ses semblables que pour en inventer d'autres, que pour se faire « le singe de Dieu ». Après tout, le capitaine Bonaparte crut d'abord que *Le Souper de Beaucaire*, mieux que les armes, assurerait sa gloire – avant de se raviser.

Choisir d'inscrire cet homme politique dans une perspective romanesque, comme s'il était le produit d'une création située par définition hors de tout jugement qui ne serait pas esthétique (le « est-il bon ? est-il méchant ? » de Diderot), ne tend pas à exonérer de toute critique historique le jeune homme des années 40, le ministre de la IVe République, l'opposant systématique à de Gaulle, le conquérant du Parti socialiste et moins encore le double président de 1981 à 1995.

Ici comme ailleurs, témoignages, enquêtes et réquisitoires font et feront la trame de son procès historique et de celui de la société qu'il a si fort contribué à dessiner – élans et grimaces. *Adolphe* et ses dérobades échappent au jugement des hommes, non Benjamin Constant et ses palinodies.

Si savoureux qu'il soit au regard de l'amateur de caractères et de talents, le parcours qui mène le garde des Sceaux de 1956 aux abords de l'Observatoire, le chef des antigaullistes à une récupération satisfaite des institutions jusqu'alors combattues, le leader de la gauche à la réinvention du capitalisme français, le censeur du *Coup d'État permanent* aux pratiques du « bon plaisir » des années 90, le ministre libéral de la France d'outre-mer à la familiarité avec le bourreau des Tutsis, toutes ces volte-face, voulues ou subies, nourrissent le réquisitoire du vertueux procureur et aussi les sarcasmes de moins probes censeurs.

Ce qui trouvera place ici, bien que les auteurs aient dû déplorer le refus opposé à leurs sollicitations par quelques adversaires, étrangement moins pressés de s'exprimer que les grands

12

barons du mitterrandisme. Ainsi, Valéry Giscard d'Estaing, Charles Pasqua et, sur un tout autre plan, Michel Rocard, ont-ils refusé d'éclairer ici un débat qui comporte encore des zones d'ombre. Et quelques intervenants du film, tels Pierre Mauroy ou Robert Badinter, n'ont pas jugé bon que des propos tenus devant la caméra soient ici transcrits, avec les soins et le filtre d'usage.

Tel quel, voici ce « personnage de roman », un roman qui a été, bon gré mal gré, vécu par quelques dizaines de millions de Français et de partenaires de la France, raconté par une vingtaine de ses compagnons ou adversaires. Choix arbitraire ? Certes. Critiques mouchetées ? Peut-être, encore que sur tel dérapage de jeunesse, telle déviance du vieux chef, le projecteur ait rarement été braqué par tel ou telle avec plus d'acuité.

De ces audiences, qui tiennent autant de la critique littéraire et du tribunal que de l'évaluation historique, jaillit un personnage dont on pourrait dire que les traits et les manières sont plus saisissables que le bilan politique, moral, diplomatique d'un demi-siècle d'action politique. Portrait en clair-obscur, plutôt que bilan ? Certes. Mais d'un témoignage à l'autre, un observateur très attentif pourra voir se dessiner les deux colonnes du passif et de l'actif de cette très longue vie publique.

Dans la première s'empilent le barbotage dans le cloaque de Vichy, la capitulation du garde des Sceaux de 1956 devant les maniaques de la répression algérienne, le faux attentat de 1959, l'arrogance d'un « socialisme à la française » confronté en 1981 aux réalités du marché, la confusion entre promotion des familiers et service de l'État, le poids, dans les Balkans, d'une serbophilie récurrente, l'« enrichissez-vous » des années 90...

Dans la seconde, celle des services rendus à la collectivité nationale, on rangera l'intrépidité du résistant, la lucidité du jeune responsable des affaires africaines, la réanimation d'une gauche capable d'assurer la nécessaire alternance après vingt ans d'hégémonie plus ou moins gaulliste, l'ajustement de cette force au service de l'État et de la production, l'habile adaptation des institutions monarchisantes de 1958-1962, l'exaltation de l'activité culturelle au cœur de la cité – et bien sûr la décisive relance de l'unification européenne en 1984...

Nous remercions ceux et celles qui ont bien voulu concourir à cette mise en questions. Et souhaitons bonne chance aux audacieux qui voudront éclairer ces 70 % de vérité mitterrandienne que l'intéressé croyait – ou disait – insaisissables...

Jean Lacouture.

1

Les années d'apprentissage

Né le 26 octobre 1916, au plus fort de la grande guerre, François Mitterrand est le quatrième des huit enfants d'Yvonne et de Joseph Mitterrand, patron d'une vinaigrerie qui jouxte la maison familiale, 22, rue Abel-Guy, à Jarnac, petite cité charentaise.

A 10 ans, le jeune François entre comme pensionnaire au collège Saint-Paul d'Angoulême tenu par des prêtres séculiers, où il fera toutes ses études secondaires. Assez bon élève, il montre déjà un fort penchant pour la lecture.

François Mitterrand, 18 ans, bachelier, débarque à Paris sept mois après la sanglante journée du 6 février 1934, dix-huit mois avant l'avènement du Front populaire. Il loge dans une pension où les pieuses familles provinciales placent leurs rejetons, espérant les mettre ainsi à l'abri des turpitudes parisiennes. C'est là, au 104 de la rue de Vaugirard, que les habitués appellent le « 104 », qu'il fait la connaissance de Jacques Bénet et de François Dalle.

Jacques Bénet
François Mitterrand est arrivé de sa Charente natale à l'automne 1934, à la fin de septembre, si je me rappelle bien, c'est-à-dire juste au début de l'année universitaire. François Mitterrand arrive avec toute une cohorte de nouveaux, venant de tous les coins de province. Le foyer où j'étais déjà installé, où il va s'instal-

15

ler lui jusqu'en 1938, c'est une maison qui accueille des étudiants, surtout non parisiens, un internat réservé à des étudiants de province. Il s'agit d'un foyer à encadrement religieux, catholique, tenu par les pères maristes, un des ordres nombreux de la société catholique française de l'époque, moins connu que l'ordre des jésuites, peut-être plus libéral dans sa façon d'opérer vis-à-vis des étudiants. Le « 104 », c'est le numéro de la rue de Vaugirard ; les locaux étaient situés aux 104 et 108, rue de Vaugirard, avec, entre les deux, une maison qui abritait un pensionnat de jeunes filles, dirigé par des bonnes sœurs. Mais les deux parties, les deux locaux du foyer d'étudiants étaient réunis par un parc, un jardin assez grand, muni, entre autres, d'un court de tennis. Dans la partie également intermédiaire, entre les deux grands locaux qui abritaient les chambres sur plusieurs étages, il y avait une construction basse, qui, elle, abritait le réfectoire.

François Dalle
Je ne me souviens pas du jour où je l'ai rencontré, je me souviens simplement que nous avions une table de réfectoire où, j'allais dire les beaux esprits, où les gens qui ont fait carrière se rencontraient déjà. Mais je suis devenu très vite son ami. C'est là que je l'ai très bien connu car nous sommes allés ensemble, pendant pratiquement un an et demi, tous les matins à la faculté. On partait le matin, vers neuf heures et demie, dix heures – on allait à la faculté de droit, en fait on allait à la bibliothèque. Mitterrand n'était pas très travailleur, il ne travaillait pas les problèmes juridiques, il lisait les journaux, puis l'après-midi il allait en Sorbonne. On se retrouvait au déjeuner, pour manger une pâtisserie en face, au coin de la rue Saint-Jacques

et de la rue Soufflot. Puis, on se retrouvait vers cinq heures et on rentrait rue de Vaugirard. Donc, nous avons eu beaucoup de conversations à deux.

Jacques Bénet
C'était un garçon qui avait certainement déjà beaucoup d'imagination, qui parlait agréablement. Qui avait un sens inné... je dirais de romancier, sauf qu'il n'a jamais écrit de roman. Enfin très attentif à la vie littéraire, sans aucun doute. Il avait une conversation agréable et imagée. On se fréquentait, on se voyait surtout à table, au déjeuner et au dîner.
Il était croyant. Il ne mettait pas publiquement en doute sa foi. Il avait, je ne dirais pas la foi du charbonnier, mais continuait la tradition de la famille, qui était une famille croyante et pratiquante. Puis il s'est inscrit à la société Saint-Vincent-de-Paul, et il est allé bien sagement visiter les familles, c'était d'ailleurs une œuvre louable. François Mitterrand avait une attitude très classique sur le plan des convictions et de la pratique religieuses.

Mais, très vite, le jeune homme est saisi par le virus politique. Un mois après son arrivée à Paris, François Mitterrand s'inscrit chez les Volontaires nationaux, organisation de jeunesse des Croix de Feu du colonel de La Rocque, qui rassemble plusieurs centaines de milliers d'anciens combattants. L'idéologie est moins extrémiste que le laissent penser le culte du chef et les déploiements d'un rituel martial. La Rocque représente une droite nationaliste, antiparlementaire; mais, contrairement à d'autres ligues de l'époque, les Croix de Feu, imprégnées des valeurs sociales du christianisme, ne sont ni fascistes ni antisémites.

17

Jacques Bénet
Il devient un militant assez régulier, assez fidèle,
et pendant trois ans au moins. Il adhérait aux idées de
La Rocque. Il défendait ce point de vue-là, ce programme. Oui, il donnait cette impression. Il ne se
cachait pas du tout! Il a été fidèle. Il a suivi les exigences de son militantisme sans bruit. Il allait régulièrement retrouver les militants du secteur de la rive
gauche. Il était La Rocque pour tous ses amis. Il n'y a
pas de problème.

François Dalle
Il manifestait déjà, dans sa jeunesse, une grande ambition. Tout était déjà subordonné à l'ambition. S'il
jouait au tennis, il fallait qu'il soit le premier; membre
de la communauté du « 104 », il fallait qu'il écrive dans
la revue; s'il faisait de la politique, il allait du côté du
mouvement qui réussissait. C'était le cas des Croix de
Feu dont on parlait beaucoup. Il était porté par un
courant très anticommuniste qui le fit participer aux
manifestations des Croix de Feu, mais de là à dire qu'il
était fasciste, cela paraît stupide.

La coalition de Front populaire emporte les élections de
mai 1936. L'un des premiers actes du gouvernement de Léon
Blum est de dissoudre les ligues dites factieuses, dont les Croix
de Feu. Plus tard, devenu le leader de la gauche, François
Mitterrand aimera se placer dans la filiation de Blum et dater
sa conversion à la gauche du Front populaire. Mais en 1936, il
est encore bien loin du socialisme.

C'est au temps du Front populaire que Mitterrand fait ses
débuts de journaliste à *L'Écho de Paris*, journal très marqué à
droite, proche du Parti social français (PSF) créé par La Rocque
après la dissolution de ses Croix de Feu.

François Dalle
On me dit que nous étions, au 104 de la rue de Vaugirard, tous contre le Front populaire. Il y avait là une réunion d'étudiants dont certains préparaient l'École normale, d'autres Polytechnique, d'autres, enfin, étaient à la fac de droit ou de lettres. Nous n'étions pas des gens bornés, nous n'étions pas contre le Front populaire. Nous étions contre les communistes, car nous avions peur du communisme autant que de l'hitlérisme.

Jacques Bénet
Le Front populaire, évidemment, a été condamné à ce moment-là. Tout bêtement. Ça nous paraissait être un danger et à différents titres.
Mitterrand n'était pas fasciné du tout par Blum. Il a dû lui trouver du talent parce que Léon Blum s'exprimait bien. C'était un homme qui en imposait. Mais la réaction était dans l'ensemble défavorable.

Entre les cours à Sciences-Po et à la faculté de droit, les parties de tennis au « 104 », les soirées au théâtre, quelques articles dans les journaux, le Mitterrand de 20 ans mène la vie joyeuse d'un dandy de province.

Marie-Claire Sarrazin
Je l'ai rencontré pour la première fois au mariage d'un de nos cousins germains communs, Pierre Sarrazin, qui habitait avec tous les enfants Mitterrand. J'ai été invitée, ainsi que mes frères et sœurs, à venir à Jarnac. Nos familles se connaissaient et correspondaient depuis le mariage d'un frère de mon père avec la sœur de sa mère.
C'était à Noël 1938. Nous avons été reçus quelques

jours dans la famille Mitterrand, et nous avons fait pour la première fois la connaissance de nos cousins. Il y avait donc les huit Mitterrand et mes deux cousins Sarrazin.

C'est Robert qui m'a le plus impressionnée parce que je jouais au piano à quatre mains avec lui. François, je le trouvais beau et très jeune. Petit jeune homme, et puis un peu serré, un peu guindé. Comme un jeune homme timide, il se lançait tout d'un coup, il commandait un peu. Il nous avait emmenés dans les bois en voiture, et sa voiture s'était embourbée dans des terrains spongieux. Il était très vexé de cet incident, et il a fallu mettre des bûches sous les roues de la voiture pour qu'elle redémarre. Alors il nous a commandé, violemment, de mettre des bûches. On s'est bien amusés pendant ces quatre jours. Après, je ne l'ai pas revu pendant trois ans.

A l'une de ses sœurs, Mitterrand confie à cette époque : « Si on ne rejette pas le monde, il faut vouloir le conquérir. »

En attendant, c'est le cœur d'une jeune fille de 15 ans, Marie-Louise Terrasse, que le jeune François prétend conquérir. Avant de connaître la célébrité à la télévision sous le nom de Catherine Langeais, elle est harcelée par son amoureux, qui l'appelle « Béatrice ».

François Dalle
Son grand amour allait au lycée Buffon et il fallait tous les jours que je m'y rende pour lui porter le courrier de Mitterrand et prendre le sien. J'ai fait ça pendant trois mois, peut-être cent fois. C'était une contrainte presque insupportable, mais Mitterrand était mon ami. Il était dans un état de dépendance folle vis-à-vis de cet amour. Il lui écrivait plusieurs lettres par jour. C'était, en effet, fou.

20

En 1937, la police découvre les cadavres de deux antifascistes italiens, les frères Rosselli, abattus sur ordre de la police de Mussolini par des hommes de la Cagoule [1]. Les assassins présumés sont arrêtés. Parmi eux, Jean Bouvyer, fils d'une famille proche des Mitterrand. François, qui depuis sa rencontre avec sa cousine Marie-Claire Sarrazin correspond régulièrement avec elle, lui fait part d'une émotion ambiguë :

> *Voici l'événement extérieur : vous lisez peut-être les journaux : si oui vous avez appris que les assassins des frères Rosselli étaient découverts – et que parmi ceux-ci se trouvait un certain Jean Bouvyer. Or, ce Jean Bouvyer, frère de Marie Bouvyer, première demoiselle d'honneur du mariage du 23 décembre et cavalière de Jacques, est l'un de mes meilleurs amis. Absolument bouleversé, j'ai passé la journée d'hier chez les parents de Jean, accompagné sa mère à la Sûreté générale et vécu des moments terribles avec son frère. Toute l'accusation repose sur les aveux de Jean Bouvyer ! Je suis persuadé qu'il n'est pas coupable – mais je crains que la justice ne soit très dure, à cause du caractère politique de l'affaire. Vous pouvez imaginer l'effondrement de la famille, bourgeoise jusqu'à la moelle des os, et ignorant tout.*
>
> *Passons : aux événements intérieurs – (ou du moins à leur ligne générale) – chaque instant je vis sur la pointe des pieds, et comme je n'ai point l'entraînement des souris d'opéra, je retombe aussitôt. D'un risque à l'autre, je me bande les yeux ; mais je sais qu'il y a risque, et où il se trouve – et je sais comment l'éviter. Mais je n'aime pas côtoyer un risque : il me renverse ou je l'écrase. Le résultat étant toujours le même : un peu plus de souffrance pour moi et quelquefois pour les autres. Le risque serait en réalité l'absence de risques.*

---

1. Organisation extrémiste d'action directe antirépublicaine fondée en 1935 par l'ingénieur Eugène Deloncle et le général Dusseigneur, financés par Mussolini.

Là où l'on peut vivre davantage, j'y vais; et mon grand regret est de ne pouvoir me mêler à toute chose. J'aimerais que le destin de tous ceux que je rencontre soit une proie où je pourrais faire à ma volonté des incursions. Comment Dieu a-t-il pu créer le monde sans que je sois à l'origine? Cela ne veut pas dire que je ne puis me fixer : ce besoin de connaître est surtout intellectuel, et si je m'attache rarement de façon totale, c'est avec les griffes plantées, inébranlables.

Je me laisse aller à ce besoin de fiche d'identité que j'éprouve chaque fois que j'écris – comble de l'égoïsme : une lettre est pour moi l'occasion de préciser sur moi-même ma pensée – et je la précise toujours avec passion quand celui – ou celle – qui la reçoit vaut la peine. Vous voilà cataloguée, Clairette : valoir la peine, c'est quand même quelque chose.

Ce lien avec Jean Bouvyer, plus ou moins mêlé à l'assassinat des frères Rosselli, et certaines relations de la famille avec le fondateur de cette organisation ont longtemps entretenu la rumeur d'une appartenance de François Mitterrand à la Cagoule.

François Dalle
On a raconté sur la Cagoule beaucoup de bêtises. Si Mitterrand avait fait partie de la Cagoule, je l'aurais su. Je me souviens qu'à l'époque nous avons essayé de sauver un garçon qui était plus ou moins de sa famille et qui s'était véritablement engagé dans la Cagoule.
Je suis formel : Mitterrand n'a jamais fait partie de la Cagoule.
Ce n'était pas possible. J'ai été près de lui pendant trois ans, le matin à la faculté où nous nous rendions toujours ensemble, nous avons dîné le soir à la même table, nous avons passé ensemble trois années de vacances chez lui à Jarnac ou chez moi dans le Nord.

J'étais son meilleur ami. Nous n'avions rien à nous cacher. Comment aurait-il pu être de la Cagoule sans que j'en sois informé ? Évidemment, on peut dire que j'étais un imbécile et que je n'ai rien vu ou qu'il était de la Cagoule la nuit ! On peut toujours dire ça.

De lettre en lettre, François Mitterrand continue de livrer ses états d'âme à sa cousine Marie-Claire.

Je me suis débarrassé des fioritures, en apprenant — ou plutôt en me confirmant dans cette idée que pour vivre sans entraves il faut mépriser considérablement son voisin. Est-ce l'orgueil ? Est-ce une vue réelle d'un état de fait ? Je considère tout autre — ou à peu près — que moi-même, en me baissant un peu. Or, je ne puis m'attacher qu'à ce qui m'élève — ce qui signifie que je ne puis m'attacher qu'à peu de chose.

Divagations adolescentes d'un lecteur de Montherlant, ou de Drieu ?

2

La guerre

En septembre 1938, François Mitterrand, à la veille de ses 22 ans, est incorporé au 23ᵉ RIC au fort d'Ivry [1]. C'est sous l'uniforme de bidasse qu'il noue la plus belle amitié de sa vie. Georges Dayan a 22 ans. C'est un juif d'Oran, socialiste de cœur. Il sera jusqu'à sa mort, quarante ans plus tard, le confident, l'intime, le complice de François, toujours là, toujours à ses côtés.

A la déclaration de guerre, les deux inséparables sont séparés – l'Oranais est officier, le Charentais sous-officier –, mais tous les deux sont envoyés aux avant-postes, au-delà de la ligne Maginot.

Lorsque la Wehrmacht se rue à l'assaut, le sergent Mitterrand combat avec courage.

Le 14 juin 1940, il est blessé de deux éclats d'obus, près de Verdun.

Marie-Claire Sarrazin
Je l'ai revu après, seulement en 41. Mais, entre-temps, j'avais commencé à recevoir des lettres de lui. Parce que, dès qu'il a été mobilisé, il m'a donné son adresse. Et on a commencé à s'écrire. Et il m'a écrit en particulier une lettre très émouvante quand il a été blessé, dès qu'il s'est trouvé à l'hôpital de Lunéville. Il m'a

---

1. Régiment d'infanterie coloniale : unités peu ménagées en cas de guerre. François a refusé de suivre les cours d'élèves officiers.

raconté que cet éclat d'obus lui avait traversé l'épaule, était ressorti. Quand j'ai lu plus tard dans des journaux infâmes que ce n'était pas vrai, qu'il n'avait pas été blessé, ça m'a beaucoup choquée.

Comme des centaines de milliers de soldats et d'officiers français, Mitterrand est fait prisonnier. Le voilà en Allemagne, au stalag IX A. C'est là que le futur président rencontre plusieurs de ceux qui seront les compagnons de sa vie : le jésuite Delobre, l'ancien boxeur juif Finifter, l'ouvrier Pelat... Entre Patrice Pelat, communiste, ancien combattant des Brigades internationales, et le jeune bourgeois charentais de droite se noue une relation singulière qui traversera le temps. C'est sans lui, pourtant, que François tente de s'évader. La troisième tentative, avec un prêtre, est la bonne. En décembre 1941, François Mitterrand réussit à regagner la France. Il débarque à l'improviste chez sa cousine Marie-Claire qui habite le Jura.

Marie-Claire Sarrazin
Je m'étais réfugiée dans notre maison de famille du Jura avec une de mes sœurs. Et j'étais en train de faire un cours de latin, un jour de décembre 1941, quand on a vu arriver un pauvre soldat, qui est rentré dans la propriété, et qui demandait à nous voir. Et ce soldat, c'était Mitterrand qui venait de sauter du car qui l'emmenait depuis la ligne de démarcation, c'était le jour même de sa dernière évasion.
Il était très maigre et fatigué mais heureux de pouvoir s'exprimer librement, surtout devant deux jeunes filles attentives qui buvaient ses paroles. Ma sœur et moi l'avons choyé et nourri – il mourait de faim mais nos provisions étaient bien minces à cause du rationnement sévère de cette époque. Heureusement, nous avions eu l'idée d'acheter une chèvre – que nous avions

25

appris à traire d'après un livre sur les caprines! – et
nous faisions des fromages appréciables. Ma sœur
s'était transformée d'élève des Beaux-Arts en cultiva-
trice et fermière – les poules nous donnaient des œufs
et les lapins un peu de viande.

Une fois reposé, habillé, François a repris goût à la vie
et s'est montré volubile au sujet de ses trois évasions
successives.

Les horreurs des camps, les ravages de la guerre sur
les populations l'avaient mûri et durci par rapport à
l'époque de Jarnac. Il est resté trois jours avec nous
avant de réintégrer la vie civile, son intention étant de
se mettre au service de ses camarades restés prisonniers.

Ces deux années de guerre et de captivité sont comme une
fracture dans la vie de Mitterrand. La défaite et la blessure, les
rencontres décisives avec Dayan et Pelat, le stalag et les évasions l'ont transformé. Dans le dilettante littéraire conservateur
a surgi un homme imbu de son pouvoir sur les autres hommes.
L'évadé François Mitterrand ne rejoint pas sa famille : Jarnac,
où sa mère est morte, est en zone occupée. Après une brève visite
à son père, il débarque à Vichy le 19 janvier 1942. Longtemps,
il a occulté ou minimisé son passage dans la capitale de l'État
français, quand la révolution nationale y battait son plein.
Travail, Famille, Patrie… Grâce à des protections familiales,
Mitterrand trouve un emploi de documentaliste à la Légion
des combattants et des volontaires de la révolution nationale.
Une courroie de transmission entre le Chef et son peuple, une
sorte de parti unique qui sert de relais à la propagande pétainiste. Dans ces premiers mois de 1942, Mitterrand ne cache
pas son admiration pour le vieux Maréchal. Il l'aperçoit un soir
au théâtre et écrit à sa cousine Marie-Claire :

J'ai vu une fois le Maréchal. Au théâtre. J'étais assis juste devant sa loge et ai pu le considérer de près et confortablement. Il est magnifique d'allure. Son visage est celui d'une statue de marbre.

Les palaces de la ville d'eaux se sont reconvertis. Vichy est un microcosme où tout le monde croise tout le monde, fréquente les mêmes restaurants, les mêmes bars. Mitterrand voit beaucoup Gabriel Jeantet, ancien de la Cagoule qui dirige une revue, *France, revue de l'État nouveau.* Le jeune Mitterrand y donnera un article, d'ailleurs assez neutre. Dans une autre lettre à sa cousine, il livre, en avril 1942, quelques réflexions politiques :

Je me suis composé une vie bourrée d'occupations. De toutes sortes. En premier lieu je suis évidemment passionné par la vie politique. Comment arriverons-nous à remettre la France sur pied ? Pour moi je ne crois qu'à ceci : la réunion d'hommes unis par la même foi. C'est l'erreur de la Légion que d'avoir reçu des masses dont le seul lien était de hasard : le fait d'avoir combattu ne crée pas une solidarité. Je comprends davantage les SOL, soigneusement choisis, qu'un serment fondé sur les mêmes convictions du cœur lie. Il faudrait qu'en France on puisse organiser des milices qui nous permettraient d'attendre la fin de la lutte germano-russe sans crainte de ses conséquences. Que l'Allemagne ou la Russie l'emporte, si nous sommes forts de volonté on nous ménagera. C'est pourquoi je ne participe pas à cette inquiétude née du changement de gouvernement. Laval est sûrement décidé à nous tirer d'affaire. Sa méthode nous paraît mauvaise ? Savons-nous vraiment ce qu'elle est ? Si elle nous permet de durer, elle sera bonne.

Ce texte, où il ne souhaite pas plus la victoire des Russes que celle des Allemands, passe sous silence Anglais et Américains, et fait l'éloge du SOL, service d'ordre légionnaire, troupe de choc qui pourchasse tous les adversaires du régime, signifie qu'à la fin du printemps 1942, François Mitterrand frôle le pire. En avril, Laval est revenu au gouvernement, René Bousquet est secrétaire général à la police : en juin et juillet 1942, il négocie avec Oberg, chef de la police allemande, la collaboration de la police française aux rafles des juifs. Le statut d'octobre 1940, renforcé par celui de 1941, a exclu de la communauté nationale les juifs, français aussi bien qu'étrangers, avant qu'en juin 1942 le port de l'étoile ne soit obligatoire en zone nord.

François Mitterrand est à Vichy lorsqu'à Paris, comme en zone sud, des fonctionnaires français arrêtent et livrent aux Allemands les juifs en respectant les consignes de leur chef René Bousquet.

Pour accueillir les milliers de prisonniers libérés, Vichy a fondé un commissariat au Reclassement des prisonniers, dirigé par Maurice Pinot qui a rang de ministre. Le commissariat crée des maisons du prisonnier et des centres d'entraide afin d'aider les arrivants démunis ou de faire parvenir des colis à ceux qui sont restés en Allemagne. En juin 1942, Mitterrand entre au service de presse du commissariat. Il s'occupe du bulletin de propagande. Il écrit à sa cousine Marie-Claire :

Le 21 juin 1942. Je viens de passer un dimanche tranquille. J'ai commencé d'expédier une partie de mon travail de début de semaine; j'ai fumé deux cigarettes, avalé un sucre, un peu rêvé, et avant de retrouver une aimable fille (et sotte) pour dîner, je prends plaisir à vous écrire. J'en ai eu plusieurs fois la velléité ces derniers jours. Me croiriez-vous ? J'ai un boulot considérable. Je suis chargé de tous rapports avec la presse par le commissariat des Prisonniers, d'une revue de presse, de la censure des articles concernant les rapatriés et d'un bulletin mensuel de liaison. A cela doivent s'ajouter les articles de semi-propagande qu'il faut fournir à la radio et aux journaux. Ainsi deux topos pour Creyssel[1] (pour jeudi, je crois) et toute une page du « Journal » à bâtir sur l'œuvre du commissariat. Cela me plaît assez d'ailleurs. Ou il me faut un gros travail qui avale mes journées ou rien du tout et le farniente le plus absolu. Autrement je me sens en déséquilibre.

Marie-Claire Sarrazin

Je suis allée le voir à Vichy. J'ai passé deux jours à Vichy auprès de lui, rue Nationale, au moment où il était au commissariat aux Prisonniers de guerre. Il m'a présentée à Valentin[2]. Puis à d'autres. C'est en 1942 que j'ai reçu un grand nombre de lettres. François, moi j'avais résisté à ses avances. Une amitié si grande entre une fille et un garçon, dans les 20 ans ou 25, ce n'est pas une amitié purement amicale, il y a toujours un peu de désir d'un côté et de l'autre, mais les temps n'étant pas les mêmes qu'aujourd'hui, il n'était pas question pour moi de tomber dans ses bras tout de suite. Mais c'est resté une amitié très fidèle.

C'est au cœur même du commissariat aux Prisonniers que Mitterrand va rencontrer des hommes qui l'entraînent dans des actions hostiles à l'occupant. Il s'agit de regrouper les prisonniers évadés d'Allemagne, de leur fournir des faux papiers, des filières d'évasion, des hébergements. Le futur président se révèle un excellent faussaire.

François Mitterrand (1990)

Moi-même, je savais très bien fabriquer des faux papiers. J'étais un bon sculpteur de pommes de terre. Je pouvais

---

1. Ancien député PSF.
2. François Valentin, secrétaire de la Légion des combattants. Passe ensuite à la Résistance.

faire des cachets aussi bien faits que ceux d'une imprimerie normale.

Ces premiers actes clandestins *anti-allemands* ne s'opposent pas à la politique du Maréchal. Pas plus que le « chahut » auquel il prend part contre le collaborateur Georges Claude. En octobre 1942, François Mitterrand est reçu en audience par le Maréchal avec Marcel Barrois, un autre responsable du mouvement des prisonniers, qui mourra en déportation. Mais en août 1942, il a participé à une réunion de prisonniers évadés « mal-pensants » dans les Hautes-Alpes, à Montmaur. Ni le débarquement en Afrique du Nord, ni l'invasion de la zone sud qui sonne le glas de la fiction d'un État français souverain ne semblent avoir beaucoup influé sur l'évolution de François Mitterrand.

En janvier 1943, Laval renvoie Maurice Pinot du commissariat aux Prisonniers et le remplace par un homme à lui, André Masson. C'est ce remaniement qui manifeste la prise de distance de Mitterrand. Comme les principaux collaborateurs de Pinot, il décide de démissionner. Le départ du commissariat accélère la mise en place d'un réseau clandestin.

Jacques Bénet
Je dirais qu'il y a eu plusieurs démarrages de petits groupes, sans se concerter. Il y a eu quelqu'un qui a été pour Mitterrand révélateur, c'est Mauduit, qui a créé une sorte de premier maquis, un prototype de tous les maquis, dans les Hautes-Alpes. Mauduit était revenu de captivité, il avait échappé à l'armée, et il avait créé un atelier de bûcheronnage, à façade très honorable, recevant des subventions du département. Mais par-derrière, il planquait des gars sans papiers. Et il participait pleinement à cette organisation de l'illégalité : il avait à Lyon – et à Grenoble – une équipe qui le fournissait en faux papiers. Et ce type-là avait le projet

30

de développer son mouvement et de recruter de plus en plus de francs-tireurs, prêts, pour les meilleurs, à aller avec lui au combat contre l'occupant, de gens en dehors des marges ou sur les marges. Et il avait regroupé un certain nombre d'anciens prisonniers venus de Lyon ou d'ailleurs, quelques-uns de Vichy, dont Mitterrand.

Le 13 février 1943, se tient au château de Montmaur, dans les Hautes-Alpes, celui-là même où Mitterrand s'était déjà rendu en août 1942, une réunion décisive à l'initiative d'Antoine Mauduit. Se retrouvent là les démissionnaires du commissariat et des hommes déjà engagés dans l'organisation des anciens prisonniers comme Michel Caillau, neveu du général de Gaulle. Caillau espère récupérer tous ces pétainistes au bord de la rupture. Mitterrand veut – déjà – préserver son autonomie.

Jacques Bénet
Pour ce qui est du RNPG [Rassemblement national des prisonniers de guerre], l'un des trois mouvements de résistance intérieure, encadrés par d'anciens prisonniers de guerre, en majorité évadés, il surgit plusieurs petits groupes. Tout ça fusionne quand Mitterrand donne sa démission du commissariat lorsque Pinot est jeté dehors. Et, disons entre le 15 janvier et le 15 février, se regroupe ce qui va être le mouvement. C'est à ce moment-là que ça prend cohésion. Avant, ce sont des initiatives que je qualifierais plutôt de quasi individuelles. Il y en a qui se connaissaient un peu, qui se voyaient, c'était le milieu « anciens prisonniers ». On savait vaguement ce que faisait l'autre. Et chacun agissait dans son coin, sous sa propre responsabilité. Et cela a donné, en un peu plus d'un an, à compter de fin février 1943, un mouvement de résis-

tance très efficace, organisé dans quarante-cinq départements situés en quinze régions différentes et menant des opérations d'action ou de renseignement.

Ce premier trimestre 1943 est une période double ou trouble, un entre-deux. Tout en prenant des contacts avec d'autres groupes de résistance, Mitterrand continue de se servir de ses appuis à Vichy. On le voit sur une photo de mars 1943 assister à une réunion dirigée par le nouveau commissaire Masson. Noyautage ? Double jeu ? Difficile de distinguer dans les arrière-pensées. En avril 1943, François Mitterrand reçoit la francisque. Pour obtenir cette décoration pétainiste, il fallait remplir un formulaire précis dépourvu d'ambiguïté. Faire allégeance à Pétain, affirmer qu'aucun de vos ascendants n'était juif.

Philippe Dechartre
La francisque, c'était une des raisons pour lesquelles je ne voulais pas le voir.
Pour moi, la francisque, c'était le symbole. Je ne pense pas qu'il a fait des pieds et des mains pour l'avoir. Mais, c'était logique qu'il la reçoive, étant donné qu'il était l'adjoint de Pinot. Pinot était commissaire aux Prisonniers de guerre et faisait partie du gouvernement. Mitterrand était dans le sérail. Il était normal qu'il ait la francisque. Il était dans le premier cercle du Maréchal. Donc, ce n'est pas tout à fait par erreur qu'il l'a eue. C'était logique.

Philippe Dechartre est un gaulliste. Il appartient au réseau dirigé par Caillau, le neveu du Général. Il se méfie de Mitterrand. Il est chargé de le rencontrer pour discuter des modalités de fusion de leurs organisations respectives.

Philippe Dechartre

J'appartenais à un mouvement qui était le « Mouvement des prisonniers de guerre et déportés gaullistes » : un noyau d'évadés qui s'étaient regroupés et qui faisaient de la résistance. A l'origine, il y avait trois mouvements qui avaient à peu près la même structure et le même propos dans la Résistance. Il y avait le mouvement gaulliste. Il y avait le mouvement communiste. Et puis, il y avait un mouvement un peu plus bizarre qui était né autour des centres d'entraide et qui était *coaché* par deux hommes, lesquels n'étaient pas indifférents. Pinot, qui avait été commissaire aux Prisonniers de guerre du maréchal Pétain, et son adjoint Mitterrand, faisaient une résistance « légitimiste ». C'est-à-dire qu'au fond ils étaient pour le Maréchal, mais en même temps ils étaient foncièrement anti-allemands. Donc, il y avait ces trois mouvements. Et le Général avait dit : Trois mouvements, c'est deux de trop. Je veux voir une seule tête ! J'ai eu mission de préparer ce qu'on a appelé plus tard « la fusion ». Avec les communistes, ça a très bien marché. Ça a très bien marché parce que, entre les gaullistes et les communistes, à l'époque, il y avait beaucoup de choses communes dans la philosophie de la guerre, dans l'approche des événements. Même dans le comportement physique. J'ai été beaucoup plus réticent à prendre contact avec le mouvement Pinot-Mitterrand. Les centres d'entraide envoyaient des colis, c'est vrai, des confitures aux prisonniers, mais enfin, il y avait la photo de Pétain, et même quelquefois la photo d'un tank allemand dans un coin. Moi, je n'aimais pas. Je n'aimais pas le gouvernement de Vichy – c'est peu dire –, je n'aimais pas Pinot-Mitterrand et je n'aimais pas Mitterrand. Je ne l'aimais même pas du tout.

Donc, j'ai dit : «Moi, je ne prends pas contact avec Mitterrand. Ce mec-là, il ne me plaît pas. Il ne me plaît pas. Je n'ai rien à lui dire et certainement qu'il n'a rien à me dire.» Enfin nos agents de liaison ont réussi à provoquer une rencontre à cinq heures du matin sur le quai de la gare de Lyon-Perrache, le 28 mai 1943. Mitterrand avait quitté Paris pour aller présider une réunion de son mouvement à Lyon et ensuite il partait dans le Midi. Et moi, j'avais fait simplement l'aller et retour Paris-Lyon pour rencontrer Mitterrand. Le cadre de cette rencontre était celui d'une gare de l'époque. Ce n'était pas comme une gare d'aujourd'hui. Il y avait des locomotives qui jetaient de la vapeur, il y avait des sifflets. Cinq heures du matin, il faisait froid. Il y avait le brouillard lyonnais sur tout ça : des voies fantomatiques. Le décor en lui-même était romantique. En plus, le petit stress, la petite trouille, on regarde quand même à droite ou à gauche si, entre deux convois, on ne voit pas un imperméable trop typique. Alors j'étais là sur le quai, à faire les cent pas dans le brouillard. Puis, sortant de la brume, un peu comme un fantôme, j'ai vu s'avancer celui qui s'appelait Morland. Mitterrand s'appelait Morland à l'époque. Il avait un pardessus un peu long, des knickerbockers, des pantalons de golf, ça ne se fait plus aujourd'hui, qu'il portait sans chaussettes. Il avait des grosses chaussures de montagne, des socquettes, les mollets nus et puis ces pantalons, ces pantalons de golf ! Une grande écharpe rouge, une petite moustache et les cheveux collés au Bakerfix. Ça se faisait beaucoup à l'époque. Il avait un peu l'air d'un sous-lieutenant sud-américain. Il n'y avait que nous deux sur le quai, ça ne pouvait être que lui. On s'approche, sur la réserve : on était un peu des fauves à

34

l'époque, on n'était pas dans un salon, bien sûr. Je lui ai dit : « Morland, je suis là vraiment par devoir. Il fallait que je sois là, mais... Mais ça colle pas. Vous appartenez à un système qui n'est pas le mien. La Résistance, c'est pas ça. J'avais l'intention de ne pas vous rencontrer. Je ne suis pas pour cette fusion-là. Mais le Général la veut, donc nous la ferons. Mais voilà, je suis mal à l'aise. » Et Mitterrand m'a dit : « Vous êtes un bolchevik. » Donc sur le moment, ça démarre mal. Ça démarre mal. Mais nous nous sommes dit : « Il faut quand même faire quelque chose. On ne va pas en rester là. » Alors nous avons parlé organisation ; on a parlé... On a tout mis sur la table. Et je dois dire qu'au fur et à mesure que la conversation s'organisait dans ce brouillard qui nous supportait comme un beau nuage, j'ai commencé à découvrir un homme que je n'attendais pas. C'est-à-dire un homme d'une extrême séduction, intelligent, subtil. Je me disais : « Il vaut mieux quand même parler avec lui qu'avec un autre, on s'ennuie moins, déjà. Et puis, et puis il est intelligent. Prodigieusement intelligent. » Tout ce qu'il disait de l'avenir me semblait vrai. Enfin, c'est des choses que j'aurais voulu dire et qu'il disait certainement même mieux que je ne les aurais dites. Donc, finalement, au fur et à mesure de la conversation, il s'est passé quelque chose. Une amitié est née. Une réelle et profonde amitié, intellectuelle d'abord, puis après sentimentale. Alors, je lui dis : « Mais, écoute... (on a fini par se tutoyer bien sûr), quand même tout ça est bien beau, mais enfin, tu as dit que j'étais un bolchevik et maintenant tu es prêt à faire l'alliance avec les communistes, car dans ma corbeille, moi, j'ai les communistes, ça y est, c'est fait. Donc on sera trois. Il y aura les communistes, il y aura les gaullistes, il y aura les centres d'entraide, toi. Comment vois-tu ça, parce que, quand même, l'alliance avec les communistes c'est quelque chose? Pour toi en tous les cas.» «Oui, me dit-il, c'est vrai, je ne suis pas coco, et loin de là. Mais vois-tu, tout ce qu'on fait, tout ce que nous faisons actuellement, c'est pour la patrie, c'est pour la liberté, c'est contre l'Allemagne qui doit être vaincue. On se bat, on fait la guerre. Mais on fait ça aussi pour continuer après, pour refaire la France, c'est-à-dire pour intervenir dans le grand débat politique qui sera celui d'après guerre. *Et vois-tu, on ne pourra rien faire si on ne tient pas compte de l'arithmétique communiste.*» Et m'est toujours restée cette image de François disant cela avec une parfaite décontraction, une certitude absolue. C'était inéluctable comme la précision des équinoxes. Il était là, il disait ça. Après, on a beaucoup parlé. On s'est quittés amis. Il est parti vers son destin et moi vers le mien. Ce jour-là, il m'a... il m'a étonné. Je veux dire que peut-être notre complicité future est venue de ce premier étonnement. J'ai repensé à cela quand, au lendemain de son élection en 1981, je l'ai retrouvé rue de Bièvre, il y avait eu le chemin parcouru! Il me dit: «Tu vois, j'y suis arrivé.» Je lui ai répondu: «Eh bien, oui, mais tu m'as "bluffé" une seule fois, quand tu es devenu premier secrétaire du Parti socialiste.» Car quel chemin parcouru!

Je pense qu'il a été... séduit, au départ, par «Travail, Famille, Patrie». Pour Mitterrand, de la droite chrétienne, Pétain représentait la France. C'était la statue du commandeur. Il est passé de l'autre côté pas seulement par calcul politique, ou personnel, se disant: «Il est temps que je me tire de là.» Ce n'est pas ça. Ce serait trop médiocre et trop subalterne. C'était pas du tout dans son tempérament. Il a toujours été conduit – c'est pour ça que je dis que c'est un moraliste – par une analyse transcendante de toutes les forces qui conduisent à l'action. A la décision et à l'action.

Sa rupture, disons, définitive avec Vichy date du jour de notre rencontre.

De ce jour, parce que c'est le jour où il a dit : « J'adhère à la Résistance armée. » Il faut dire que, dès le jour où il a dit « j'adhère », il s'est entièrement impliqué dans l'ensemble et dans le détail du combat. C'est-à-dire que si le lendemain même de cet entretien, il avait été pris par la Gestapo, il aurait eu le sort qu'aurait eu l'un des nôtres s'il avait été pris par la Gestapo. François Mitterrand a été un résistant indiscutable, je le dis avec force. Il a su, au moment où il prenait sa décision, que cette décision était entière et l'impliquait en tout.

La rencontre avec Dechartre scelle le passage de Mitterrand du Maréchal au Général. En cette fin du printemps 1943, Morland, entre Vichy et Londres, choisit son destin. Et ce choix, deux mois plus tard, revêtira une forme éclatante. Le 10 juillet 1943, André Masson, successeur de Maurice Pinot au Commissariat, organise un grand rassemblement salle Wagram, proche de l'Étoile, à Paris. Il veut plaider en faveur de la « relève » des prisonniers en Allemagne par des ouvriers. La salle est archicomble. François Mitterrand est dans la salle. Au beau milieu du discours de Masson, il se dresse sur son siège et interpelle l'orateur (Vous mentez !), avant de filer. Geste auquel la radio de Londres donnera un écho enthousiaste.

Philippe Dechartre
C'est un coup médiatique extraordinaire et un élément important de la mobilisation résistante. D'abord

c'était un acte de courage... Et puis c'était un beau coup. C'était bien préparé. Ça a été bien mené. L'idée venait de Mitterrand lui-même. Il a dit : « J'y vais. » C'est un homme qui avait un courage physique indiscutable. Un courage moral et un courage physique inébranlables. C'est-à-dire toutes les qualités du chef résistant.

Dans la nuit du 15 au 16 novembre 1943, Mitterrand s'envole pour Londres. Il est temps pour lui d'assurer la légitimité de son organisation auprès des hommes de la France libre. Puis il gagne Alger, où de Gaulle s'est installé. Très vite, il est reçu par le Général, en compagnie d'Henri Frenay, commissaire aux Prisonniers de guerre. De Gaulle explique à Mitterrand que les diverses organisations clandestines d'aide aux prisonniers doivent fusionner sous l'autorité de son neveu, Michel Caillau. Mitterrand refuse.

François Mitterrand (1988)
Il m'a reçu pendant près d'une heure. Il s'agissait de traiter de certains problèmes propres à la Résistance et à son organisation. Et je n'ai pas accepté les instructions qu'il voulait me faire transmettre au mouvement de Résistance auquel j'appartenais. J'ai donc discuté, contesté. L'abord a donc été sympathique et émouvant mais avec quelques heurts.

« Sympathique. » Le mot est pour le moins incongru. Les « heurts » ont prévalu. Mais le Général se souviendra de l'homme pour le nommer à de hautes fonctions. François Mitterrand est de retour en France occupée en février 1944. Désormais, c'est un homme pourchassé. Il change d'identité dix fois, prend tous les risques, échappe à la Gestapo par miracle.

François Mitterrand (1985)
J'aurais été dans une petite rue fermée aux deux bouts
par la Gestapo, je n'aurais pas pensé que j'étais perdu...

Philippe Dechartre
De cet homme, j'allais dire qu'il n'avait pas de nerfs. Il
avait un sang-froid distancié qui lui était absolument
naturel. Était-ce contrôlé? Était-ce parce qu'il était
comme ça? Si j'essaie de le revoir, en projetant ma
mémoire, c'est un homme qui, tout naturellement,
était là où il devait être. Eh bien, dans la Résistance,
il était là où il devait être. C'est-à-dire qu'il maîtrisait parfaitement sa présence dans l'instant. Et ça,
c'est certainement une très grande qualité d'homme
d'action.

François Dalle
Il a su, quand il le fallait, prendre des risques considérables. Il est allé à Londres. Il en est revenu pour
prendre la direction d'un mouvement de résistance.
Un jour, je lui ai dit : « Tu ne devrais pas te balader
avec ce costume-là, on voit très bien qu'il est neuf et
qu'il vient d'Angleterre. » Un autre jour, nous étions,
ma femme et moi, en train de remonter avec lui les
Champs-Élysées. Brusquement, un barrage fut organisé par la Gestapo. Ma femme prit sa serviette, dans
laquelle il y avait des papiers qui l'auraient fait fusiller
s'il avait été pris. Nous sommes arrivés à passer le barrage sans être interpellés, moi avec de vrais papiers
et lui avec de faux papiers.

Au printemps 1944, Morland est à la tête d'une organisation
de résistance importante, fruit de la fusion entre divers réseaux.
Il tient tous les fils. Comme il le fera tout au long de sa vie, le

futur président active et relie les différents cercles d'amitié qu'il a formés au cours de la décennie écoulée. Dans le Mouvement national des prisonniers de guerre et déportés (MNPGD) qu'il dirige, on trouve des anciens du « 104 », des anciens du stalag, des anciens du commissariat à Vichy, des résistants, communistes ou gaullistes. Mitterrand est alors au confluent de tous les courants issus de la guerre, où se mêlent Vichy et Londres. Il est le sismographe des tourmentes des années noires, le commun dénominateur de ces Français qui ont dit oui, qui ont dit non, qui ont flotté, puis combattu.

En avril 1944, François Mitterrand rencontre Danielle Gouze. Dans une lettre à sa cousine Marie-Claire, il parle d'une fille aux « yeux de chat » :

Le 24 juin 1944. [...] Je vous écris aujourd'hui d'un coin tranquille et magnifique, au cœur de ce pays robuste qu'on appelle la Bourgogne. Depuis quinze jours je suis là et je bois le soleil, l'air, les couleurs, la pureté des soirs comme on peut seulement le faire lorsqu'on a manqué d'en perdre à jamais le goût. Je n'y resterai pas. Bientôt je regagnerai ma très chère cité. Mais ce repos évoque en moi tant de douceurs et de merveilles que j'aurais quelque peine à retrouver la foule des hommes. [...]
Quelle époque passionnante. On s'y rogne les talons à force d'y courir et l'on risque de s'y consumer mais le risque vaut cette joie du sang qui va d'un cerveau lucide à des membres agiles, d'un cœur égal à des poumons réguliers. Et l'avenir est dans nos mains, cette toute petite chose plus fine qu'un grain de blé mais comme lui porteuse d'un monde. A ce compte-là, il fait bon semer à pleines paumes même si l'on doit finir par buter parmi les sillons jusqu'à manger la terre. A l'instant où je vous écris, Tino Rossi anime les ondes. A ma table sont une jolie fille dont les yeux de chat admirables restent fixés sur un au-delà dont j'ignore les bornes et les

accidents, et un garçon de mes amis qui tente de m'entretenir des sujets interdits. Je fume une cigarette, sensation oubliée depuis près de quinze jours car j'ai oublié d'en faire provision et les maquisards du coin ont coutume de rafler les contingents de Sa Seigneurie l'État. Grand bien leur fasse : Philippe Henriot leur promet depuis assez longtemps la dernière cigarette pour qu'ils profitent un peu de celles-ci. Le temps passe et j'avoue m'être abandonné sous la roideur de ce soleil à un farniente amical dont je me porte assez bien. Mais le travail va reprendre et je m'apprête à abattre de nouveau un solide boulot. Soufflons un peu d'ici là et retrouvons les vieux chemins des anciens jours qui me ramènent à vous et aux horizons assez vastes, qui vont de la plaine si riche et si somptueuse abandonnée à vos pieds aux hautes lignes blanches que nos bicyclettes reconnaîtraient les yeux fermés.

Vous me parlez de nos lettres dont la postérité se repaîtra nécessairement. J'en suis bien persuadé, ma chère Clo. A condition toutefois que des loupes indiscrètes s'abstiennent de les scruter comme il est arrivé à celles que vous m'avez adressées depuis trois mois. J'avais eu l'impression qu'elles ne recelaient aucun secret majeur, mais des visiteurs importuns n'en ont pas moins jugé ainsi et m'ont raflé vos aveux les plus récents ! Et si encore ils s'étaient bornés là...

En juin 1944, de Gaulle désigne François Mitterrand comme commissaire général intérimaire du ministère des Prisonniers dont le titulaire est Henry Frenay. Moins de dix-huit mois après être « entré dans la Résistance », il est donc promu ministre par intérim en attendant l'arrivée à Paris du Gouvernement provisoire d'Alger... Dès le début de l'insurrection, François Mitterrand, l'arme au poing, occupe l'immeuble du commissariat aux Prisonniers. L'intérim est bref : début septembre, Frenay, rentré d'Alger, récupère son ministère.

Philippe Dechartre

C'est là qu'il s'est révélé une seconde fois comme un homme politique d'une grande maîtrise. Il a tout de suite vu ce qu'il pouvait tirer de cette force considérable, une force qui est plus évidente sur le plan moral que sur le plan de la réalité militaire. Mais la masse des prisonniers de guerre absous de leur captivité par la Résistance, ça représentait pour François Mitterrand un enjeu politique que nous, nous ne soupçonnions pas et qui, en définitive, ne nous intéressait pas beaucoup. Mais lui, il a tout de suite vu le parti politique qu'on pouvait en tirer. Et si on regarde bien sa carrière, on retrouve partout, à chaque moment, la rencontre renouvelée avec cette source première : les prisonniers de guerre.

Dans l'immédiat, ses espoirs politiques sont déçus. Il a espéré, lui qui n'est entré dans la Résistance qu'en 1943, succéder à Frenay... La vie lui offre une belle revanche. Il épouse Danielle Gouze le 24 octobre. Le couple s'installe rue Guynemer. Un premier enfant, Pascal, meurt du choléra. Deux garçons suivent. Mitterrand – toujours sous le nom de Morland – écrit dans *Libres*, le journal des anciens prisonniers. A ce titre, en juillet 1945, il suit le procès Pétain. Mais *Libres* ne nourrit pas son homme. Son ami Dalle le fait embaucher à la SEP, une filiale de L'Oréal.

François Dalle

A la Libération, il s'est trouvé désœuvré. Je l'ai alors fait entrer dans la Société d'édition moderne parisienne. Les gens disent à tort qu'il est entré à *Votre beauté*. Il est vrai que la SEP était une société d'édition qui éditait *Votre beauté*. En réalité, on était bien tous d'accord pour qu'il crée une édition littéraire. Il n'en a pas eu le temps, parce qu'il n'est resté à la SEP que huit ou neuf mois. J'ai dû le protéger contre des gens, à l'intérieur de la société, qui étaient des primaires, qui ne voyaient pas qu'ils travaillaient à côté d'un homme d'envergure. Ils auraient au moins pu se rendre compte que c'était un homme qui écrivait mieux qu'eux.

3

Les marches du pouvoir

La France de la Libération est à gauche. Communistes et socialistes sont majoritaires à l'Assemblée. Mitterrand se présente à Paris sur une liste de droite. Il est battu. Aux élections législatives de novembre 1946, il est candidat dans la Nièvre sous l'égide d'un petit parti de centre droit, anticommuniste. C'est un parachutage. Il mène une campagne de droite, très loin de l'esprit de l'époque. Sa proclamation de foi dénonce les nationalisations et la bolchevisation de la France par les communistes ! Sur ce programme, il est élu et fait son entrée au Palais-Bourbon. Trois mois plus tard, il est au gouvernement.

Ministre à 30 ans... Cette précocité, cette impatience dans l'assaut des palais de la République lui valent une réputation d'arriviste, de Rastignac à la conquête de la capitale.

Il s'est inscrit à l'UDSR (Union démocratique et socialiste de la Résistance), parti charnière, à la gauche de la droite ou à droite de la gauche, qui compte plus de généraux que de soldats. L'UDSR fait ou défait les majorités. Un vivier à ministres qui donne à ses membres le délicieux plaisir de grimper plus souvent qu'à leur tour les marches de Matignon lors des remaniements ministériels. Mitterrand sera onze fois ministre.

En juillet 1950, François Mitterrand reçoit le portefeuille de la France d'outre-mer, c'est-à-dire de l'Afrique. Bien plus tard, à l'heure du bilan de sa vie, il estimera que c'est à ce poste que sa vie publique a pris un sens. Il situera là l'origine de son évolution vers la gauche. Mitterrand l'Africain sera en tout cas l'homme du progrès ; dans l'empire français règne le colonialisme de papa, et même une forme d'esclavage à peine tempéré. Le jeune ministre se bat pour la réforme, contre la répression, non sans en retirer des avantages dans la stratégie parlementaire, et en s'attirant la rancune des conservateurs.

En 1954, François Mitterrand démissionne du gouvernement Laniel pour protester contre la politique répressive menée au Maghreb. Ces prises de position progressistes le rapprochent de Pierre Mendès France, qui fait figure d'espoir de la gauche non communiste et que l'équipe de *L'Express* soutient dans son opposition à la guerre d'Indochine. Cinq semaines après la chute de Diên Biên Phu, l'Assemblée envoie Mendès à Matignon pour liquider le désastre. François Mitterrand devient à 37 ans ministre de l'Intérieur du plus prestigieux gouvernement de la IVe République, où l'on retrouve Edgar Faure et Jacques Chaban-Delmas.

Tenu par sa promesse de mettre un terme en un mois aux combats en Asie, « PMF » est accaparé par les négociations entamées à Genève pour pacifier l'Indochine.

Place Beauvau, le jeune ministre de l'Intérieur s'entoure de fidèles : Georges Dayan, Jean-Paul Martin, ancien du cabinet de Bousquet à Vichy – qui, à ce titre, a sauvé son réseau du désastre –, le conseiller d'État Pierre Nicolaÿ, habitué de ses cabinets, et un nouveau, André Rousselet.

André Rousselet
J'ai été choisi tout simplement parce que j'avais été sous-préfet à Pointe-à-Pitre et que, aux Antilles, j'avais eu maille à partir avec un sénateur du cru. Au moment où François Mitterrand est arrivé à l'Intérieur, il a demandé les dossiers de jeunes sous-préfets, si possible talentueux. On lui en a présenté un certain nombre et j'ai été retenu non pas pour mon propre talent, mais par le fait que j'avais été en conflit avec ce

sénateur qui n'était pas de ses amis, et ce au nom du principe selon lequel « les ennemis de mes ennemis sont mes amis ». C'est ainsi que j'ai été choisi parmi d'autres beaucoup plus méritants sans doute que moi. Georges Dayan était l'homme qui répondait le mieux à tout ce que pouvait attendre François Mitterrand. D'abord, François Mitterrand avait un goût particulier pour une forme d'humour, de détachement. Il n'aimait pas spécialement dans son entourage les trop bons élèves. Et Georges Dayan avait tellement partagé avec lui de souvenirs et d'épreuves, qu'il était devenu un élément indispensable dans tous ses contextes privés, politiques et administratifs. Georges Dayan était un homme tout à fait exceptionnel et brillant, dépourvu de tout conformisme dans ses comportements. Il aimait la vie. A cet égard, François Mitterrand a toujours apprécié en lui les jugements, non seulement politiques mais à tout propos sur ce qu'il faisait, qui il rencontrait, qui il voyait. François Mitterrand acceptait le dialogue sous réserve qu'il ne soit pas trop lourd, trop argumenté. Dans le genre, Georges Dayan était un modèle, il savait exprimer avec beaucoup d'humour ce que d'autres disaient avec trop de sérieux. Il a été le compagnon de François Mitterrand le plus proche et n'a pas été remplacé. Il y avait une profonde amitié entre eux. Cela dépassait même l'amitié. C'était une affection, mieux, une complicité.

Et en même temps, Georges Dayan était un homme bourré de pudeur et de tact et il n'était que rarement avec François Mitterrand de plain-pied. Il avait toujours une espèce de recul dans le rapport public avec lui. Ils n'étaient jamais d'égal à égal, au moins quand j'étais présent. Georges Dayan ne se retrouvait « de niveau » que dans l'humour. C'était d'ailleurs le propre de François Mitterrand d'être plus accessible par l'humour que par tout autre moyen. Quand on voulait tenter de faire passer un message, mieux valait choisir ce vecteur. Par exemple, je me souviens, quand j'étais à son cabinet et souhaitais recommander un candidat à tel ou tel poste, je devais prendre des précautions. Je lui disais : « Si je n'avais pas peur de nuire à cette personne je vous en dirais du bien. » C'est une formule humoristique et quelquefois cela réussissait.

Georges Dayan le tutoyait. Mais Mitterrand n'appelait pas précisément la familiarité, car il savait faire respecter une distance naturelle. Quand il a été élu à l'Élysée, un journaliste m'a demandé : « Mais qu'est-ce que ça a changé pour vous ? » J'ai répondu : « Rien. » Mes rapports avec lui ont toujours été avant l'heure ceux d'un modeste collaborateur avec un président de la République. La meilleure image que je puisse donner de nos rapports est celle d'un dialogue dans un escalier, à la nuance près qu'il était toujours sur la marche du dessus !

Dès son arrivée, Mitterrand décide de révoquer le préfet de police, Jean Baylot, un socialiste qui s'affichait comme un croisé de l'anticommunisme, homme de réseau et d'influence. Mais le clan Baylot, qui considère la préfecture comme sa chose, ne se laisse pas faire. Il tente de compromettre François Mitterrand dans une ténébreuse affaire d'espionnage. On fabrique des faux rapports destinés au Parti communiste, qui disposerait ainsi d'un informateur au sommet de l'État. Renseigné par un de ses ministres, Christian Fouchet, Pierre Mendès France n'avertit pas le ministre de l'Intérieur qu'il est soupçonné de haute trahison (en fait, c'est le président du Conseil qui est visé par l'opération…). Totalement innocent, Mitterrand sera blanchi par la justice. Mais, à son personnage romanesque, l'affaire des fuites ajoutera une touche sulfureuse. L'épreuve l'a marqué. Pour la première fois, mais non la dernière, il a connu la haine, essuyé la calomnie, vu quelques-uns de ses amis douter. La leçon ne sera pas perdue. Le jeune ambitieux se cuirasse. Ce métier s'apprend sur le tas, dût-il être un tas de boue.

Roland Dumas
Je crois que Mendès a été très correct avec lui. Il voyageait beaucoup à l'époque, car il était président du Conseil. Mendès m'a dit un jour : « J'étais hors de France quand l'affaire a éclaté. J'ai pris la plume pour écrire moi-même à Mitterrand une lettre personnelle, très amicale, très fraternelle, pour lui remonter le moral, qu'il ne se laisse pas abattre, car j'avais toujours présent à l'esprit le suicide de Salengro [1]. Et je ne voulais pas du tout que Mitterrand tombe dans la spirale du désespoir et connaisse la même fin. » Mitterrand m'a dit que, au début de l'affaire, Mendès France, influencé par son entourage, s'interrogeait à son sujet mais que très vite il lui a manifesté beaucoup de sympathie et de solidarité.

André Rousselet
Il y a eu un petit nuage parce que Mendès France n'a pas donné avec autant de rapidité que Mitterrand l'aurait souhaité une marque de solidarité à son ministre de l'Intérieur. Cela s'est estompé par la suite. Mendès France et Mitterrand étaient sur le même palier, il n'y a pas eu de problème d'escalier entre eux ! Encore qu'au départ Mendès France était sur la

---

1. Ministre de l'Intérieur du Front populaire. Accusé de désertion pendant la guerre par la presse de droite, il mit fin à ses jours.

LES MARCHES DU POUVOIR

marche supérieure. Par la suite, il est resté de la part de François Mitterrand à l'égard de Mendès un comportement légèrement révérenciel.

Si François Mitterrand en veut à Pierre Mendès France de l'avoir laissé dans l'ignorance pendant deux mois, il n'en laisse rien paraître. Le tandem a d'autres épreuves devant lui. Le soulèvement de la nuit de la Toussaint 1954 en Algérie surprend Paris. Personne en France n'imagine qu'une guerre de sept ans vient de commencer. Mendès France et Mitterrand sont à l'unisson de l'opinion. En affirmant que les départements d'Algérie font partie du territoire national, ils ne font que dire la loi et énoncer une évidence pour la quasi-unanimité des Français qui les ont élus.

François Mitterrand (6 novembre 1954)
Les meurtriers et les émeutiers ont dressé contre eux la force française. Cette force défendra la justice […] Elle interdira aux agitateurs le plus souvent recrutés à l'étranger la poursuite de leur œuvre de destruction. L'Algérie, c'est la France, et la France ne reconnaîtra pas chez elle d'autre autorité que la sienne […].

François Mitterrand (1990)
L'Algérie, c'est la France! C'est un raccourci dont je ne suis pas exactement l'auteur. Enfin, puisque c'est établi comme ça…

André Rousselet
Vous imaginez-vous un ministre de l'Intérieur, chargé de la responsabilité des départements français, pouvoir dire autre chose que « ils sont la France »? C'est seulement le recul de quarante ans qui peut amener à se poser la question. Le pays était engagé dans une poli-

tique, le moins que son représentant puisse faire était de constater que l'Algérie était constituée de départements français. De là à dire que l'Algérie était la France, rien de plus évident. Ne pas le dire aurait été insensé.

Gilles Martinet
Le premier souvenir d'un accrochage avec lui, c'est au début de la guerre d'Algérie, en novembre 1954. Il était ministre de l'Intérieur chargé des affaires algériennes. Je venais de faire un voyage en Algérie et, ayant relevé un certain nombre d'exactions couvertes par Paris, j'ai écrit un article intitulé « Lettre ouverte au ministre de l'Intérieur » auquel il n'a pas répondu. Pour un temps, la vision que j'avais de Mitterrand était celle d'un homme qui cautionnait une politique coloniale.

André Rousselet
Il a d'abord constaté que « l'Algérie de papa » était une Algérie très forte, très puissante, avec des hommes comme Borgeaud et quelques autres qui ne voulaient pas bouger d'un iota et qui étaient en même temps soutenus par des hommes politiques de grande importance comme René Mayer[1]. François Mitterrand avait conçu un plan répondant aux aspirations de beaucoup (je dois l'avoir quelque part, puisque m'était revenue la tâche de rédiger ce plan). Après coup, c'était assez révolutionnaire pour l'Algérie, puisqu'il y créait le collège unique. Il libérait le rôle de la femme,

---

1. Député de Constantine, président du Conseil en 1950, leader des radicaux de droite. Il provoque, le 5 février 1955, la chute de Mendès France, leader des radicaux de gauche.

redistribuait les terres des grands latifundiaires, etc. Ce projet n'était pas fait du bout des lèvres. D'ailleurs, c'est son ambition même qui a fait que Mendès est tombé, sur les projets de réformes que lui a refusés le Parlement.

Le ministère Mendès renversé par les tenants de l'Algérie française, le 5 février 1955, François Mitterrand est en chômage technique. Pour les élections législatives du 2 janvier 1956, il constitue avec Mendès, les socialistes de Guy Mollet et une poignée de « gaullistes sociaux » groupés autour de Chaban, le Front républicain. La campagne est agitée. Les « poujadistes » perturbent les réunions publiques.

Pierre Joxe
Je l'ai rencontré personnellement pendant la campagne des élections législatives de décembre 1955 avant les élections du 2 janvier 1956 qui avaient eu lieu à la suite de la dissolution de l'Assemblée par Edgar Faure. J'avais déjà rencontré Mitterrand, je l'avais déjà vu, entendu à l'Assemblée nationale, j'étais étudiant à l'époque. Il m'intéressait, mon père [1] me parlait de lui comme d'un personnage curieux, bizarre, intéressant. Il y avait eu l'affaire des fuites dans laquelle il avait été injustement mis en cause. Mon père n'aimait pas Mitterrand mais il l'estimait. Et donc je suis allé suivre sa campagne dans la Nièvre, je suis parti en stop et suis arrivé à Cosne-sur-Loire, où il y avait un meeting qui a tourné en une bagarre terrible, provoquée par des poujadistes. J'avais 21 ans. Les mitterrandistes ne me connaissaient pas, les poujadistes non plus, je me

---

1. Louis Joxe, compagnon du général de Gaulle, puis ambassadeur à Moscou, fut un négociateur de la paix en Algérie.

trouvais entre les deux; les chaises volaient, et finalement c'est un ami de Mitterrand qui m'a dit : « Mais qu'est-ce que vous faites là? Vous allez vous faire écharper. »
J'ai parlé avec lui trois minutes, mais en fait la réunion a duré une demi-heure et s'est interrompue. C'était très violent.
A l'époque, en vérité, j'étais surtout intrigué par la violence, par la campagne des poujadistes. Je m'étais beaucoup bagarré avec Le Pen [1] à la faculté de droit, j'étais à l'UNEF, et je me demandais ce que les gens avaient contre ce Mitterrand.

Les résultats montrent une poussée, à l'extrême droite, du mouvement Poujade où se distingue le jeune Le Pen. Le Front républicain de centre gauche l'emporte. C'est lors de cette campagne qu'entre dans la vie de François Mitterrand un jeune avocat.

Roland Dumas
En 1954, je fréquentais, comme journaliste, l'Assemblée nationale. Je travaillais pour le journal *L'Information*. François Mitterrand était ministre de l'Intérieur dans le gouvernement Mendès France.
C'était la guerre d'Algérie. J'ai aperçu sa silhouette. J'ai été impressionné par l'autorité qui se dégageait naturellement de lui. Par sa taille d'abord, bien qu'il ne fût pas très grand. Mais il avait une large carrure, une belle prestance physique. Je lui ai parlé là. Mais nos relations se sont vraiment nouées lorsque j'ai décidé d'être candidat aux élections législatives en 1956, en Haute-Vienne, mon pays d'origine, tête

---

1. Alors associé aux poujadistes dont il récupéra l'héritage.

LES MARCHES DU POUVOIR

d'une liste un peu bâtarde, dissidente des socialistes. Nous étions des socialistes indépendants séparés des socialistes orthodoxes à propos du réarmement de l'Allemagne. A la surprise générale, je fus le seul élu UDSR dans la métropole. Cela m'a valu un coup de téléphone très sympathique, dans la nuit, de Mitterrand, qui m'a dit : « Je vous attends demain matin. » C'est ce jour-là qu'a commencé une aventure commune qui s'est poursuivie pendant presque un demi-siècle.

Mitterrand était quelqu'un d'abord sympathique, d'allure jeune, vif, attentif à tout. Il avait un regard très, très, très mobile. Il vous fixait, mais en même temps regardait ailleurs, autre chose ou quelqu'un d'autre. Il était toujours sur le qui-vive. Il était avide de connaître, de vivre, de savoir.

Le Front républicain l'ayant emporté (de justesse...) le 2 janvier 1956, on s'attend à ce que Mendès France forme le gouvernement. C'est à Guy Mollet, le leader socialiste, que le président René Coty fait appel. François Mitterrand est garde des Sceaux. Guy Mollet a fait campagne sur le thème de la paix en Algérie. Mais, accueilli à coups de tomates à Alger, le 6 février, par les Européens, le nouveau président du Conseil en est bouleversé et retourné. Dès lors, le programme de réformes et de négociations avec le FLN auquel est censé se consacrer Mendès France, ministre d'État, est abandonné.

En mars, Mollet fait voter les pouvoirs spéciaux qui donnent au gouvernement tous les moyens pour mener la répression en Algérie. Le garde des Sceaux Mitterrand accepte que, pour tous les crimes commis sur le territoire algérien, la justice civile soit dessaisie au profit des tribunaux militaires. Décision stupéfiante qui va permettre le développement de l'arbitraire. En quelques mois, les effectifs engagés en Algérie doublent. Au printemps 1956, le gouvernement Mollet, soutenu par les communistes, fait basculer le conflit algérien dans la guerre. En mai, Pierre Mendès France refuse de cautionner par sa présence la politique algérienne du gouvernement. Il démissionne. François Mitterrand reste solidaire de Mollet.

Le chef du gouvernement lui offre pourtant l'occasion de rompre. Le 22 octobre, un avion affrété par le gouvernement marocain transportant quatre dirigeants du FLN (dont Ben Bella), et en route pour Tunis où Bourguiba doit leur proposer un plan de paix, est intercepté en vol et contraint de se poser à Alger. L'opération a été approuvée par le ministre socialiste Max Lejeune. Guy Mollet, choqué, l'a « couverte ». Ministre des Affaires marocaines et tunisiennes, Alain Savary démissionne. Mitterrand qualifie cet acte de « piraterie aérienne », mais reste au gouvernement. Homme de gauche, journaliste politique au *Monde*, Claude Estier, qui deviendra plus tard l'ami de Mitterrand, commente ce comportement :

Claude Estier
Je l'ai vu pendant très longtemps sans beaucoup l'approcher. J'étais journaliste parlementaire sous la IVᵉ République quand il était ministre, j'avais donc l'occasion de le rencontrer dans les couloirs du Palais-Bourbon, mais je ne peux pas dire que j'étais proche de lui. Au début de la guerre d'Algérie, j'étais contre la guerre, je participais à l'équipe de *L'Observateur*. Les positions qui étaient les miennes et celles de l'équipe du journal dans lequel je travaillais étaient évidemment assez éloignées de celles de François Mitterrand. Je n'ai pas compris qu'il soit resté dans le gouvernement de Guy Mollet après l'arrestation des leaders du FLN.
Vous vous souvenez qu'Alain Savary avait démissionné, François Mitterrand était resté, et j'ai eu l'oc-

casion, à ce moment-là, de lui dire que je ne comprenais pas très bien sa position. Il l'expliquait par le fait que, deux ans auparavant, il avait déjà démissionné d'un gouvernement après l'arrestation du sultan du Maroc, Mohammed V [1]. Et donc il me disait : « Je ne peux pas passer mon temps à démissionner. » Pendant cette période, je me suis trouvé, disons, en désaccord avec lui. Mais, moi, j'étais journaliste et lui ministre... Je ne crois pas qu'il ait commis d'actes graves, mais il a été quand même un peu engagé dans cette politique qui a conduit à la fin de la IVe République.

A l'automne 1956, le FLN porte la guerre dans Alger. Il utilise l'arme du terrorisme, de l'attentat aveugle et meurtrier. Une psychose de peur s'empare de la capitale algérienne. C'est dans ce climat qu'un Européen, communiste, Fernand Yveton, est arrêté en possession d'une bombe destinée à faire sauter l'usine à gaz où il travaillait. L'attentat n'a pas eu lieu, mais Fernand Yveton est exécuté pour avoir eu l'intention de le commettre... Place Vendôme, Mitterrand, ministre responsable, se tait.

André Rousselet
Il n'a pu empêcher l'exécution d'un condamné, Fernand Yveton, bien qu'il s'y soit opposé avec toute la force de ses propres convictions.
Ce n'était plus la justice civile qui était compétente, mais la justice militaire, à laquelle il avait accepté que soient transférées les responsabilités en 1956...

Afin de ramener l'ordre dans Alger, le gouvernement fait appel aux parachutistes au début de 1957. Pour cette « bataille

---

1. En fait, après avoir repris sa démission donnée en cette occurrence, il a rompu avec le gouvernement Laniel à propos de la répression en Tunisie.

d'Alger », le général Massu s'est vu confier tous les pouvoirs de police. Les paras de son adjoint le colonel Godard font la chasse aux poseurs de bombe du FLN. La Casbah est ceinturée, passée au peigne fin. On arrête les suspects par milliers. La torture est systématiquement utilisée ; il n'y a plus de justice, plus d'État de droit. On comptera plus tard 3 000 disparitions. Contre l'évidence, le chef du gouvernement socialiste nie tout recours aux sévices.

Dans le secret du Conseil des ministres, François Mitterrand fait entendre sa différence, plaide pour la modération, mais sa seule présence dans un gouvernement qui couvre de tels faits ne peut être perçue dans l'opinion que comme une approbation. Sur le fond de l'affaire, il évolue lentement. Au début de 1958, il exclut toujours toute idée d'indépendance.

André Rousselet

Je sais qu'il en a souffert. Mais il avait déjà usé de la démission une fois, en 1953, dans l'affaire marocaine, et ce sont des armes qui s'émoussent avec la répétition. La répression en Algérie lui a posé des problèmes de conscience qu'il a résolus dans son for intérieur, mais dont il n'a pas fait étalage, fonction oblige.

Roland Dumas

Il voyait bien que nous faisions fausse route en continuant la guerre avec le peuple algérien. Il était sur la ligne de Mendès, mais lui n'avait pas voulu rompre avec les socialistes. Ce sera du reste l'une des constantes de sa politique à partir des années 50 : ne pas rompre avec le Parti socialiste. A mon avis, il avait déjà en tête l'idée de cette confédération qu'il organisera par la suite avec la FGDS. Il critiquait Guy Mollet, président du Conseil. Il disait qu'il manquait de parole.

56

Après chaque Conseil des ministres, je l'attendais et nous partions ensemble. Il me le répétait. Il me disait qu'il avait de nouveau insisté pour qu'on négocie, qu'on fasse la paix avec le FLN. Mais Guy Mollet voulait poursuivre la guerre, et le clan que j'appellerais des «progressistes» suivait Mendès France qui, lui, avait démissionné du gouvernement. Nous étions pour la négociation.

Dès 1956, j'ai voté contre le gouvernement Guy Mollet et sa politique en Algérie. A chaque vote, Mitterrand me taquinait : « Ah ! Vous avez encore voté contre le gouvernement. » Mais il me le disait avec gentillesse, d'un air de dire : «Vous avez raison. Moi, je ne peux pas le faire parce que je suis dans le gouvernement, je me dois d'être solidaire, mais vous, vous avez une liberté de vote, vous en usez et vous faites bien. »

Gilles Martinet
Le fait qu'il soit resté dans un gouvernement qu'avaient quitté Mendès France et Savary a été considéré comme tout à fait négatif par le courant que je représentais. Disons par *L'Observateur* et toute la gauche nouvelle. Ça lui a été beaucoup reproché. Dans les campagnes contre la guerre d'Algérie, l'affaire de la torture jouait un rôle central. Et lui indiscutablement a minimisé l'importance du phénomène, en tant que ministre de la Justice.

Lorsque le gouvernement Mollet est renversé, Mitterrand refuse de participer à celui formé par son successeur, Bourgès-Maunoury. Il reste en attente.

Le jeune ministre de la IVe n'a jamais rechigné devant les plaisirs offerts par la fonction. On le voit honorer de sa présence l'anniversaire de Maurice Chevalier. Il représente la France au mariage de Rainier et Grâce de Monaco. Il fréquente encore les avant-premières de cinéma qui permettent de rencontrer les actrices.

André Rousselet
Mitterrand n'était pas un homme comme d'autres, par exemple Guy Mollet qui ne s'intéressait à rien d'autre qu'à la politique. Je ne veux pas entacher la mémoire de Guy Mollet, mais il n'était pas passionné par la littérature, les femmes ou par tout ce qui fait la joie de vivre. Tandis que Mitterrand était un sybarite, qui aimait la vie. Quant à la politique, c'était pour lui une passion parmi quelques autres.

Roland Dumas
François Mitterrand était plus âgé que moi de quelques années. J'ai trouvé en lui quelqu'un de disponible. Il était introduit dans Paris. Il était un des membres éminents du gouvernement et connaissait un certain succès. Moi, je n'étais pas dans son cas. J'étais encore un provincial, fraîchement débarqué de son Limousin natal.
Il m'entraînait tous les dimanches dans des manifestations sociales diverses. Il me faisait signe régulièrement : « Venez, nous allons faire une partie de billard chez Lazareff. » L'attraction, le dimanche, était en effet d'aller chez Lazareff à Louveciennes et là de rencontrer le tout-Paris, les gens du cinéma, du théâtre, de la presse. C'est en ce lieu que j'ai vu pour la première fois Jacques Chaban-Delmas qui était un familier de cet endroit. Ils étaient très liés.
Les parties de billard étaient acharnées entre lui et François Mitterrand. C'est là que j'ai pris conscience

du caractère de ce dernier qui n'admettait pas de perdre une partie. Il était, comme on dit, « accro-cheur ». J'ai vécu, plus tard, la même expérience lorsque nous nous mesurions au ping-pong, sport dans lequel il excellait. Il l'avait appris, me disait-il, quand il était chez les bons pères à Angoulême. Un beau jour, il m'a lancé un défi au ping-pong. Je l'ai battu. Il en était dépité, vexé même. Il n'a eu de cesse que de prendre sa revanche. C'était quelqu'un qui, par tempérament, ne cédait pas un pouce de terrain.

Au milieu des années 50, alors que, sans le savoir encore, la IVe République agonise en Algérie, François Mitterrand est un des plus brillants espoirs de la classe politique.

André Rousselet
Matignon a été un des objectifs, en effet, de François Mitterrand sous la IVe République. François Mitter-rand se confiait très peu. Il avait son propre dessein et n'en accablait pas ses collaborateurs. Sa discrétion et le sens du secret ont toujours été un des éléments premiers de son caractère. On plaisantait en disant qu'en lui-même il cachait à l'hémisphère gauche ce que l'hémisphère droit cérébral pensait, de peur que cela ne transpire ! L'ambition de François Mitterrand d'accéder à Matignon dans les années 50 était réelle. Mais cette ambition perçait plus dans ses compor-tements politiques que dans les confidences qu'il pouvait en faire.

Claude Estier
Il dégageait l'impression d'un homme extrêmement cultivé, épris d'histoire, mais qui avait incontestable-ment, et ce n'est pas dans ma bouche un reproche,

une très forte ambition d'accéder à un rôle politique déterminant. Déjà dès cette époque. Quand le président Coty avait envisagé de l'appeler dans la dernière période de la IVᵉ République, Mitterrand avait dit qu'il accepterait les voix communistes et ça a été déterminant pour qu'on ne l'appelle pas. Sur le moment, on a pu penser qu'il avait raté une occasion, mais, finalement, je crois que, compte tenu de ce qui s'est passé par la suite, ça lui a plutôt servi.

Le 13 mai 1958, la foule algéroise, emmenée par les activistes de l'Algérie française, attaque et occupe le siège du Gouvernement général. Avec la complicité des paras, un Comité de salut public est créé, que préside Massu. Alger est aux mains des factieux. Deux jours plus tard, appelé au micro, le général en chef, Salan, crie : « Vive de Gaulle ! »

Panique à Paris. De conciliabules nocturnes en démarches secrètes, la machine se met en route sous la pression de l'armée pour interposer de Gaulle entre la dissidence et le pouvoir. Maniant avec maestria séduction et sédition, rassurant ici, ne décourageant pas là-bas, l'homme de Colombey sort de sa retraite. Ayant proclamé qu'il se tenait à la disposition de la République, il est chargé par le président Coty de former le gouvernement.

La gauche manifeste contre le coup de force et les menaces de l'armée. Avec Mendès, Mitterrand est au premier rang.

Le 31 mai, au moment où il va être désigné par le chef de l'État, le Général invite à l'hôtel Lapérouse tous les chefs de parti de cette IVᵉ République qu'il a tant combattue. François Mitterrand est présent.

François Mitterrand (1988)
Nous étions là, petite troupe assise sur des chaises cannées à l'hôtel Lapérouse, avec de Gaulle majestueux. Et il posait des questions avec une extrême courtoisie, avec

une extrême politesse qui lui était propre, avec beaucoup d'attention et de bienveillance. Il a demandé à ceux qui étaient là, une trentaine : « Est-ce que vous pouvez me dire si vous aurez des objections majeures à m'opposer lorsque je me présenterai devant vous ? »

J'ai pris la parole, un peu timidement, j'étais le plus jeune, j'étais dans mon coin, et je lui ai dit : « Mon général, moi, de toute façon, je ne voterai jamais pour vous, du moins tant que vous n'aurez pas désavoué les Comités de salut public d'Algérie. » Puis je me souviens d'avoir ajouté, c'était une prévision qui s'est révélée inexacte : « Après les généraux, on a souvent les colonels, et je me méfie de ce processus. »

Il a été un peu offensé, je dois dire. Il m'a répondu d'une façon que je n'ai pas très bien comprise : « Alors, Mitterrand, qu'est-ce que vous voulez ? Vous voulez ma disparition ? »

Le lendemain, 1er juin, c'est le débat d'investiture à l'Assemblée. Le général de Gaulle vient, regarde, parle et s'en va nanti d'une majorité confortable. Le député de la Nièvre se dresse contre l'homme du 18 juin : « Le plus illustre des Français [1] en droit tiendra son pouvoir de la représentation nationale. En fait, il le détient du coup de force. » Son partis est pris.

Claude Estier
Ma vraie rencontre avec lui se situe très exactement le 1er juin 1958. C'est-à-dire le jour où de Gaulle est monté à la tribune de l'Assemblée nationale dans les conditions que vous savez et que François Mitterrand derrière lui a refusé ce qui apparaissait à l'époque comme un coup d'État. Et il se trouve que je venais

---

1. La formule vient d'être lancée par René Coty.

moi-même, quelques jours auparavant, de démissionner du journal *Le Monde*, où j'étais rédacteur parlementaire au service politique de Jacques Fauvet, parce
que *Le Monde* s'était rallié lui aussi à la candidature de
De Gaulle dans un fameux éditorial de Sirius qui
expliquait toutes les raisons qu'il y aurait à ne pas
voter pour de Gaulle mais qui finalement concluait
par un oui. Donc, j'ai démissionné du *Monde*, et je
me retrouvais, si j'ose dire, disponible. J'ai été impressionné par le discours de François Mitterrand à
la tribune de l'Assemblée nationale dans une atmosphère de très grande tension. Aussi, dès qu'il est
descendu de la tribune, je suis allé vers lui, je lui ai dit
que je partageais totalement la prise de position qu'il
venait d'exprimer et que j'étais disponible pour travailler avec lui. Donc, ça a été vraiment ma première
vraie rencontre avec lui.
Ce discours du 1er juin 1958, dans le contexte de
l'époque, c'était un événement. Il est apparu ce jour-
là, même si peut-être tout le monde ne l'a pas constaté
sur le moment, comme le futur leader d'opposition au
général de Gaulle.

Roland Dumas
C'est moi qui lui ai soufflé la formule qu'il utilisa
dans son discours à l'adresse du général de Gaulle :
« Vous venez chercher ici l'investiture, mais vous l'avez
déjà obtenue des révoltés d'Alger. » Cela voulait dire :
« Vous avez bafoué la République. Vous êtes passé
sous les fourches caudines des généraux d'Alger. »
Nous reprochions à l'homme de la France libre l'attitude qu'il avait adoptée vis-à-vis de la République.
Mendès qui avait, de son côté, fait un très beau discours, ne l'avait pas admis non plus.

Mais nous sentions bien que l'opinion publique basculait vers de Gaulle. On ne savait pas pour combien de temps...

Le soir du grand débat d'investiture, nous sommes revenus, Mitterrand et moi, à pied jusqu'à la rue Guynemer où il habitait. Nous nous sommes quittés à l'angle des rues Guynemer et Vaugirard. Il me dit : « Il va falloir maintenant que nous utilisions notre temps, écrire, écouter de la belle musique, voir des amis, parce que nous en avons au moins pour dix ans du général de Gaulle. » Cette prédiction était formidable. 1958-1968, cela fait dix ans. Je touchais là une des caractéristiques de la pensée politique de Mitterrand, sa vision des événements, ce n'était pas de la prémonition, mais une appréciation quasi scientifique. Savoir tirer les conséquences d'un événement, voir quelles seront les réactions du peuple et de l'opinion publique, quels seront les retours de flamme, comment les choses se passeront, en bref, savoir mesurer le temps. Très vite, François Mitterrand avait compris que de Gaulle s'appuierait sur la droite française et qu'il n'y aurait d'opposition possible, de recours, que du côté des forces populaires. La gauche était exsangue, ses leaders déconsidérés. Mais Mitterrand avait compris que c'était sur elle, la gauche, qu'il faudrait s'appuyer contre de Gaulle.

A 42 ans, François Mitterrand, après seize ans de participations diverses au pouvoir, entame une opposition qui va durer vingt-trois ans.

4

Une ténébreuse affaire

La Ve République s'installe. Par référendum, 80 % des Français approuvent la nouvelle Constitution. Le général de Gaulle est élu président de la République. Les opposants sont balayés, marginalisés. Lors des élections législatives de l'automne 1958, François Mitterrand perd son siège de député de la Nièvre, comme Mendès celui de Louviers. Le premier trouve refuge au Sénat.

La gauche s'est effondrée. Le Parti communiste, réduit à dix députés, tempête dans son ghetto et dénonce le pouvoir personnel. La majorité des socialistes, derrière Guy Mollet, s'est ralliée au Général et participe au gouvernement. Une minorité de socialistes emmenée par Alain Savary et Daniel Mayer rompt avec Mollet et fonde le Parti socialiste autonome (PSA), ébauche du PSU auquel Mendès France adhère. François Mitterrand veut faire de même. On lui claque la porte au nez, lui rappelant son passé vichyste. Mitterrand est un homme seul, mais son opposition à de Gaulle a fait de lui un des leaders possibles de la gauche à reconstruire.

Roland Dumas
Nous avons tous été envoyés au tapis en 1958. Il fallut meubler le temps. Après un voyage en Chine avec Pierre Mendès France, j'ai repris mes activités. J'ai fait un séjour aux sports d'hiver à la fin de l'année et me suis cassé une jambe. J'étais dans le plâtre pendant

64

cent jours dans une clinique de Neuilly. Cent jours de plâtre, c'est long !

Mitterrand et Pierre Mendès France venaient me rendre visite dans cette clinique, à tour de rôle, tous les deux ou trois jours. Évidemment, nous parlions de politique. Je me souviens très bien que Mitterrand arrivait généralement un petit carnet à la main et me disait : « Voilà ce qu'on va faire. Nous allons reconstruire la gauche avec du neuf. Les anciens partis sont discrédités. Nous allons commencer de la façon suivante : avec quelques amis, nous constituerons un club ou un cercle. Ensuite, avec ce club, nous nous emparerons d'un cercle plus grand dont nous aurons le contrôle. On l'élargira, mais ce sera toujours notre groupe qui tiendra les clés du cercle. » On refaisait la gauche les après-midi de printemps à Neuilly, au grand étonnement des infirmières. Il ajoutait : « Il vaut mieux avoir trois amis fidèles sur lesquels on peut compter que des relations politiques qui vous échappent au premier changement de vent. » C'était Mitterrand le tacticien. Il parlait abondamment de l'amitié à laquelle il savait être fidèle, l'amitié sur laquelle on peut et on doit s'appuyer, que ce soit dans les relations humaines, que ce soit en politique. La démarche qu'il suivra pour arriver au pouvoir en 1981 sera la mise en pratique de ces réflexions.

Gilles Martinet
Nous étions un petit nombre dans la gauche qu'on disait non communiste à cette époque à nous être opposés au référendum sur la nouvelle Constitution. Nous reprochions à de Gaulle d'être venu au pouvoir grâce à une insurrection. Nous avons créé à six (Mendès France, Mitterrand, Depreux, Daniel Mayer,

Jean-Jacques Grubert et moi-même) l'Union des forces démocratiques. A ce moment-là, je découvre Mitterrand comme homme. Nous nous voyions souvent. Tandis que Mendès France, qui était en quelque sorte le patron moral de l'opération, ne s'intéressait pas beaucoup aux gens qui se trouvaient derrière lui (il estimait en quelque sorte ça naturel qu'on soit derrière lui), Mitterrand, général sans troupes, s'intéressait à ses nouveaux compagnons. Il m'a beaucoup interrogé sur les chrétiens de gauche, puisque dans la nouvelle gauche il y avait beaucoup de chrétiens. Il m'interrogeait aussi sur le Parti communiste et sur les possibilités d'alliance avec lui. J'ai découvert un homme remarquable d'intelligence et de force d'analyse. Nous avons été assez amis, on se voyait souvent, jusqu'à la fameuse affaire de l'Observatoire.

Le soir du 15 octobre 1959, il dîne seul chez Lipp. Il ouvre *Paris-Presse* qui titre sur six colonnes : « Des commandos de tueurs ont passé la frontière espagnole[1]. » Mitterrand reprend sa 403 pour rentrer chez lui. Il voit qu'il est suivi, accélère, contourne le jardin du Luxembourg. La voiture suiveuse est toujours là. Arrivé devant le jardin de l'Observatoire, Mitterrand abandonne son véhicule et plonge dans les fourrés. Une rafale de mitraillette balaie sa voiture.

Le choc dans l'opinion est important. Les témoignages de sympathie se multiplient. La gauche se découvre un héros.

Gilles Martinet
Pour un court moment, quelques jours, il a été l'homme le plus haï de la droite, donc le vrai symbole

---

1. Des collaborateurs et des comploteurs de tous poils, dont certains venus d'Algérie, étaient les hôtes de la France.

de la résistance de la gauche au régime. Nous avons réuni pour le soutenir une conférence de presse avec la CGT, le Parti communiste, la Ligue des droits de l'homme. A cette conférence, il a déclaré qu'il dénonçait les «criminels» qui sont au gouvernement. Mais le lendemain, Pesquet tenait à son tour une conférence de presse et donnait la preuve que l'attentat avait quand même été arrangé.

Il s'agit bien d'un coup de théâtre... Le nommé Pesquet, ancien député poujadiste, en liaison avec les gaullistes, déclare à la presse que cet attentat a été monté de toutes pièces avec la complicité de la « victime » elle-même. Pour preuve de ce qu'il avance, Pesquet fournit deux lettres postées avant l'attentat, ouvertes devant huissier, qui décrivent par le menu le déroulement futur de l'attentat. Le piège est parfait. Mitterrand a été berné.

Roland Dumas
Nous avions rendez-vous au palais de justice de Paris, devant la grille principale. J'avais plaidé une affaire banale. Mitterrand avait repris son activité d'avocat, en marge de son action parlementaire. Nous avions décidé d'aller prendre un café au bistrot «Les Deux Palais». Nous avons fait quelques pas ensemble. Devant les grilles du palais, un journal à la main, Pesquet attendait. Moi, je connaissais Pesquet : il m'avait parlé à plusieurs reprises dans les couloirs de l'Assemblée. En revanche, Mitterrand ne le connaissait pas. Pesquet vint dans notre direction, nous salua, dit bonjour et me demanda de le présenter. Je dis à Mitterrand : «Vous ne connaissez pas Pesquet, député poujadiste?» Il me dit : «Non», puis nous quitta pour acheter *Le Monde* au kiosque qui existe toujours en

face du Palais de justice, puis revint vers nous. Pesquet proposa d'aller prendre un café.

Nous sommes donc assis, à l'intérieur, au «Deux Palais». Tout a commencé là. Pesquet a pris la note, pour se ménager une preuve de la rencontre. «J'ai gardé un ticket de consommation», dira-t-il plus tard au juge d'instruction. Nous avons bavardé cinq minutes, puis nous sommes ressortis. Mitterrand me demandant ce que j'avais l'intention de faire, je lui dis que j'allais regagner l'île Saint-Louis à pied. Il me dit au revoir, dit au revoir à Pesquet. Je saluai ce dernier. A quelques mètres de là, sur les quais, il s'éloigna. Je pris une autre direction. Pesquet le rattrapa en lui disant: «Je n'ai pas voulu vous parler devant Dumas, mais j'ai des choses à vous dire.»

C'est ainsi que Mitterrand m'a rapporté la suite de notre rencontre. Pesquet l'a accompagné le long des quais du Louvre, lui affirmant qu'il n'était pas un sanguinaire.

«Je suis contre les attentats, mais il y a quelque chose qui se prépare contre vous au nom de l'Algérie française. J'ai voulu vous prévenir parce que je suis contre ce genre d'actions. Ce sont des gens très dangereux, je risque ma vie en vous révélant tout cela. Il faut que vous gardiez cette conversation pour vous. Je vous tiendrai au courant au fur et à mesure que les choses avanceront.» Il lui a fixé rendez-vous pour le lendemain et il a repris son travail d'intoxication [1], jusqu'au jour où il lui a dit: «C'est pour ce soir.» Il a dirigé Mitterrand vers les jardins de l'Observatoire. Ce qui a évidemment créé tout ce

---

1. Lequel prenait des formes multiples, Danielle recevant de nombreux coups de téléphone lui conseillant de s'acheter des vêtements noirs...

tohu-bohu. Pesquet a pu dire : « J'étais en contact avec Mitterrand, je l'avais mis au courant et il a accepté de monter un simulacre d'attentat. » Là était en effet la divergence dans les versions. Alors que Mitterrand, jusqu'à la fin, a pu croire qu'il allait être l'objet d'un attentat pour lequel Pesquet l'avait prévenu, en quelque sorte lui sauvant la vie, ce dernier allait répétant que Mitterrand avait lui-même fabriqué un faux attentat.

La réprobation est à la hauteur de l'émotion qu'a suscitée l'attentat. François Mitterrand, qui a caché ses rencontres avec Pesquet avant l'attentat, est déconsidéré. Tout le monde l'accable. Le vide se fait autour de lui. Isolé, François Mitterrand est au bord du gouffre.

Roland Dumas
Mitterrand fut très affecté par cette affaire. Quand l'attentat s'est produit, je plaidais à Lyon dans l'après-midi. Je suis arrivé à la gare de Lyon le soir vers onze heures. J'ai entendu, dans le taxi qui me ramenait chez moi, une information, un flash annonçant l'attentat contre M. Mitterrand. J'ai téléphoné rue Guynemer. C'est Danielle qui a répondu : « Il n'est pas là, il est chez Georges Dayan, vas-y tout de suite. » Je suis arrivé chez Georges Dayan, nous nous sommes retrouvés à quatre : François Mitterrand, Georges Dayan, sa femme et moi-même. Nous avons fait les cent pas dans le grand salon pendant deux ou trois heures, nous demandant ce qui s'était passé.
Pesquet commençait à raconter sur les ondes qu'il allait faire des révélations. Mitterrand était très agité, mais en même temps très lucide. Il disait : « Ça s'est passé comme ci, comme ça, il m'a vu tel jour, vous

vous souvenez, Dumas, vous y étiez. » « Oui. » « Bon, après on s'est revus à tel endroit, il va sûrement raconter des histoires, ce sera sa parole contre la mienne. » Froid dans son raisonnement, mais il se rendait compte déjà de la portée de l'événement sur l'opinion publique, sur le battage qui serait fait.

Les adversaires tombèrent à bras raccourcis sur lui, je veux dire sans mesure et sans discernement. Il a accusé les coups pendant des jours et des jours, montrant en ces circonstances la force de son caractère. Cette affaire donna lieu à un torrent de calomnies, de bêtises, de racontars.

Il éprouva les plus grandes déceptions quand il constata que certains de ses amis doutaient de lui, s'écartaient de lui. C'est de cette époque que date la formule qu'il utilisa un grand nombre de fois, dans un petit cercle : « Quand un ami doute de vous, c'est la preuve qu'il ne s'agissait pas d'un ami. »

André Rousselet

François Mitterrand a été, du fait de la campagne qui a été menée contre lui, à deux doigts de craquer. Je me souviens, dans l'escalier de l'appartement de la rue Guynemer où il habitait, l'avoir entendu me dire : « Mais vous (tout d'un coup je prenais une dimension d'interlocuteur à part entière), mais vous, est-ce qu'au moins vous croyez à mon innocence ? » Inutile de vous dire que je n'ai pas ouvert un débat là-dessus. Si j'étais là, c'est parce que j'y croyais. Je suis convaincu qu'il a été dans cette affaire victime et victime à 100 %. Les sentiments qui l'avaient amené à s'exposer à tout ce qui s'est passé par la suite dans l'affaire Pesquet relevaient du côté un peu romantique qui était le sien. On lui avait fait

confiance, et il ne pouvait en aucun cas dénoncer
Pesquet, avec les conséquences que cela aurait eu
pour ce dernier et sa famille !
Il a vu, à cette occasion, beaucoup de ses amis dis-
paraître dans la nature. Et je me souviens que nous
avons été peu, avec Georges Dayan, qui était, lui,
toujours d'une fidélité absolue, et quelques autres à
le soutenir. Un des traits de caractère de François
Mitterrand était d'«affronter», au bon sens du terme,
donc il ne voulait pas se retrancher rue Guynemer. Il
nous emmenait en ville, dîner dans des bistrots. Il
fallait voir l'accueil. C'était d'une chaleur torride, tant
il était insulté.

Claude Estier
Il a été très atteint dans cette affaire. Un soir dans
son bureau, j'étais allé l'interviewer, je l'ai vu pleurer
en face de moi. Il a peut-être commis quelque impru-
dence, je ne sais pas, mais en tout cas il y avait un
montage horrible contre lui. Il y avait des menaces
contre ses enfants, tout ça l'avait profondément
atteint. Même à ce moment-là, il n'a jamais renoncé.

André Rousselet
C'était un montage tellement machiavélique ! En
fait, on a l'impression que, dans ce piège, les ressorts
secrets de François Mitterrand étaient exploités : son
côté romanesque et en même temps celui de ne jamais
gêner un adversaire qui vous fait confiance. On a le
sentiment que ceux qui avaient monté ce tragique scé-
nario connaissaient tous les mécanismes de l'homme.
Il était la cible idéale parce que cette histoire correspondait «sur mesure» à son personnage.

71

Gilles Martinet
J'ai écrit, dans *L'Observateur*, un éditorial dans lequel je regrettais ses imprudences. Car, en fait, il s'agissait d'énormes imprudences. Il a été joueur. Il a fait le pari que ce député Pesquet était sincère alors qu'il était manœuvré par Tixier-Vignancour et un certain nombre de gens[1]. Ils ont monté une provocation dans laquelle Mitterrand est tombé.

Roland Dumas
Mitterrand dans cette aventure a probablement été trop crédule. Lui si méfiant, très méfiant par nature, avait étonné son entourage. Lui qui vivait sur le principe : « Il ne faut jamais se laisser enfermer dans une situation dont on n'est pas maître » s'était laissé prendre. Il appliquait ce principe en politique comme dans les relations humaines ou les relations d'affaires. En la circonstance, il a fait le contraire. Il s'est laissé enfermer dans une situation dont il n'avait plus la maîtrise.
Pesquet était un maître chanteur retors, sans scrupules. Les maîtres chanteurs sont des gens très habiles. Ils combinent leurs pièges. Il voulait réussir un grand coup politique, une rentrée en quelque sorte, d'après ce qu'il a expliqué par la suite. J'ai reçu plus tard les confidences de Pesquet, plus celles de Tixier-Vignancour et d'Isorni qui furent successivement ses avocats. Chacun avait sa version. Mais il résultait de tout ça que des groupuscules d'extrême droite voulaient « faire un coup ». Ils avaient choisi leur victime, ce serait Mitterrand.
Ils espéraient par là mobiliser l'Algérie française.

---

1. Plus tard apparaîtra l'étroitesse des relations entre Pesquet et l'entourage du Premier ministre Michel Debré.

C'était un peu naïf, direz-vous. Pesquet a prétendu qu'en réalité il avait fait tout cela en accord avec Debré, qui a toujours démenti ses propos.
Le débat de levée d'immunité parlementaire de François Mitterrand au Sénat fut très houleux. J'avais aidé Mitterrand à cette occasion. J'ai assisté depuis les tribunes au débat sénatorial. Nous avions préparé son discours ensemble. Je possède toujours les manuscrits de Mitterrand de cette époque. J'ai fait de mon mieux pour l'aider.

Le 25 novembre 1959, le Sénat, dont la majorité est à droite, vote la levée de son immunité parlementaire. François Mitterrand est inculpé. Il n'y aura jamais de suite judiciaire mais, politiquement, Mitterrand est comme un cadavre. Le désert, alentour, semble immense.

André Rousselet
Cette épreuve l'a définitivement blindé pour la suite. Parce qu'il a compris quel adversaire il était pour les autres, et que ça ne se limitait pas à des tapis verts. Il était engagé dans un vrai combat à mort, la mort politique pour celui qui perdait.

Gilles Martinet
Il y a en lui un côté joueur, un joueur qui pense qu'il a de la chance et qui en a eu très souvent dans sa carrière. Il a payé cela de plusieurs années de traversée du désert. Je me souviens, par exemple, d'un colloque que je présidais… Il arrive comme toujours en retard, je salue la présence de François Mitterrand, et les gens qui étaient avec moi sur la tribune me passent de petits billets : « Si tu lui donnes la parole, nous partons. » Et donc je ne lui ai pas donné la parole, je m'en

suis tiré en l'invitant à déjeuner. Ce n'était peut-être pas très glorieux, mais c'est un épisode très caractéristique de cette époque. Il était partout *persona non grata* et il s'accrochait avec passion et ténacité.

5

Le tremplin

François Mitterrand a du temps. Il flâne, lit, voyage. En 1961, il est en Chine. De ses rencontres avec Mao, Mitterrand rapporte des articles et un livre. Au cours de ce voyage, surgit dans son entourage un nouveau venu, François de Grossouvre, qui sera bientôt près de lui l'homme de l'ombre, des « affaires spéciales », notamment au Proche-Orient.

C'est de Gaulle qui, en réformant en 1962 la Constitution, avec l'élection du président de la République au suffrage universel, permet à Mitterrand de refaire surface. Alors qu'à gauche et au centre – parfois même à droite –, ce ne sont que cris d'effroi contre ce que beaucoup qualifient d'opération bonapartiste, Mitterrand, lui, est réaliste.

Claude Estier
Toute la gauche ou une grande partie de la gauche a hurlé. Au Sénat, Gaston Monnerville a crié à la forfaiture. François Mitterrand est le seul qui a très bien compris que c'était une chance unique pour la gauche. Car si l'on avait conservé le mode d'élection du président de la République par un collège de notables, jamais un homme de gauche n'aurait pu être élu, ce collège étant dominé par la droite de façon évidente. François Mitterrand avait parfaitement compris que dans une élection au suffrage universel, où au deuxième tour il ne restait forcément qu'un candidat

de droite et qu'un candidat de gauche, c'était la seule chance pour un candidat de gauche d'être élu. Il s'est donc tout de suite inscrit dans cette perspective.

L'idée de François Mitterrand était de réunir toute la gauche. A ce moment-là, la principale force de la gauche c'était le Parti communiste. Cela voulait dire qu'il fallait se rapprocher du Parti communiste, bien entendu. Et non sans risque ; d'ailleurs on le lui a beaucoup reproché à l'époque, parce qu'il ne représentait, lui, qu'une force très faible. La SFIO était en pleine déliquescence à l'époque et le Parti communiste représentait encore entre 20 et 25 % des suffrages. Donc beaucoup de gens ont dit qu'il allait se faire manger par les communistes. Mais c'était pour lui la condition *sine qua non*. Il y a donc eu les premières approches, les premières rencontres. Waldeck-Rochet, qui était le secrétaire général du Parti communiste à l'époque, a joué un rôle important dans cette direction. C'était probablement le premier dirigeant communiste qui ait senti la nécessité de faire bouger un peu le Parti. Il connaissait François Mitterrand puisqu'ils s'étaient rencontrés à Londres [1] pendant la guerre.

Dans ces années d'expansion où la France de Pompidou prospère, François Mitterrand se forge l'image d'un procureur incisif, du véritable chef de l'opposition. Il ferraille à la Chambre contre Pompidou, mais ne se reconnaît qu'un adversaire à sa taille et se jure qu'il l'affrontera un jour. Dans un pamphlet virulent, où il se soucie peu d'exactitude, *Le Coup d'État permanent*, il aiguise sa plume contre la Ve République et son chef.

---

1. Où Waldeck-Rochet était « l'ambassadeur » du PCF auprès du général de Gaulle.

La stratégie des petits cercles se met en place. François Mitterrand a fusionné son groupuscule avec le « club des Jacobins » d'un remuant mendésiste, Charles Hernu, pour fonder la Convention des institutions républicaines. C'est là que se regroupent les fidèles : Dayan, Estier, Dumas, Rousselet, Mermaz, Hernu bien sûr. La Convention va être un instrument efficace pour les grandes manœuvres qui s'annoncent.

La première élection présidentielle au suffrage universel prévue pour décembre 1965 suscite les ambitions. C'est, depuis longtemps, l'objectif de Mitterrand. Mais pour s'imposer, il faut que trois conditions soient remplies. D'abord que Pierre Mendès France, le leader intellectuel et moral de la gauche, ne se présente pas et, mieux encore, qu'il le soutienne.

Roland Dumas

J'étais allé voir Mendès France parce que je constatais que les mois passaient et que la gauche était sans candidat. Je m'en suis ouvert à Pierre Mendès France : « Président, il faut vous lancer, on a besoin de quelqu'un. » Alors il m'a gardé un long moment.

Il habitait rue du Conseiller-Collignon. Il travaillait la fenêtre ouverte. Je me souviens que ce matin-là il faisait froid. Il m'a donné toutes les raisons pour lesquelles il ne pouvait pas être candidat à la présidence de la République. Je crois l'entendre encore.

Il les a énoncées en vrac. Il était contre ce type d'élection au suffrage universel. Il prétendait que les Français n'éliraient jamais un juif. Il était moins ardent dans le combat contre de Gaulle et avait laissé la place à l'Assemblée nationale à François Mitterrand. A la fin de l'entretien, il ajouta : « Je n'en vois qu'un qui pourra faire une campagne "coup de poing" (c'est l'expression qu'il a employée), c'est Mitterrand. » « Ah ! lui ai-je répondu, c'est très intéressant.

Est-ce que vous m'autorisez à le lui dire ? » Il m'encouragea.

Je suis revenu voir Mitterrand et lui ai dit : « Voilà ce que m'a dit Mendès, il est prêt à vous soutenir. » Il me dit : « Vous êtes sûr ? Il est prêt à me soutenir ? » J'ai répondu : « J'en suis absolument sûr. »

Il existait entre Mendès et Mitterrand une rivalité certaine et une estime réciproque. Ils incarnaient tous les deux des aspects de la gauche. Mitterrand, l'alliance avec les communistes, l'alliance du peuple de gauche et des forces populaires. Mendès France avait rejeté, en 1954, l'appui des communistes. Il était plutôt soutenu – sans grande conviction – par l'aile progressiste du centrisme.

Mitterrand m'interrogea à plusieurs reprises sur l'attitude de Mendès à son égard. Je pense que le fait que Mendès France ait pris la décision de le soutenir a été pour beaucoup dans sa décision personnelle.

Deuxième condition : que le Parti communiste, qui contrôlait près d'un quart de l'électorat et dominait la gauche, ne présente pas de candidat contre Mitterrand.

Claude Estier

Ça, ça a été le rôle de Waldeck-Rochet qui a mis quand même plusieurs semaines à convaincre ses collègues de la direction du Parti communiste. Il a beaucoup plaidé et j'en ai été témoin parce que j'avais des relations directes avec lui. Il a beaucoup plaidé dans la direction de son parti, pas du tout acquise à l'idée que le Parti communiste ne présente pas de candidat à l'élection présidentielle de 1965. Cette condition a fini par être acquise dans le courant de l'été 1965. Je me souviens que j'ai eu moi-même une rencontre avec

Waldeck-Rochet au mois d'août; il m'a dit : « C'est d'accord, on va y arriver » et je suis allé immédiatement à Hossegor, où Mitterrand était en vacances, pour lui transmettre cela. Donc, à partir de là, c'est-à-dire à partir du milieu du mois d'août 1965, Mitterrand était totalement décidé.

Roland Dumas
Avant les vacances de 1965, Mitterrand m'a téléphoné; il voulait faire des achats au BHV pour sa maison d'Hossegor. Nous avons parcouru ensemble le boulevard Saint-Michel, puis il me prit soudain par le bras : « Il faut que je vous dise quelque chose. Les communistes m'ont envoyé un émissaire. Ils souhaitent que je sois le candidat unique de la gauche. Ils sont prêts à me soutenir dans l'élection présidentielle, mais ils y mettent une condition : qu'il y ait une rencontre entre Waldeck-Rochet et moi. J'ai pensé, si vous en êtes d'accord, que cette rencontre pourrait avoir lieu chez vous, à votre domicile. Elle resterait secrète. Évidemment, elle le restera pendant un certain temps, mais je n'ai pas d'illusion, elle sera très vite connue. Donc, préparez-vous. On fera cela tout de suite à la rentrée de septembre. »
La rencontre eut lieu au premier étage du 19, quai de Bourbon, chez moi. Les communistes ne voulaient pas être simplement les fantassins de l'union de la gauche au service d'un candidat unique. Ils voulaient une sorte de reconnaissance publique. La mise au point fut très compliquée. Les socialistes étaient contre cette formule, à commencer par Guy Mollet qui ne voulait pas perdre son privilège du contact avec les communistes. En 1965, les esprits n'étaient pas mûrs au point d'admettre une alliance

avec l'extrême gauche. Nous avons pris énormément de précautions pour nous rencontrer. Je menais toute l'affaire *via* le Palais, avec celui qui est devenu mon ami, Mᵉ Jules Borker, qui représentait Waldeck-Rochet.

Au dîner, Waldeck-Rochet voulait obtenir deux choses de Mitterrand : un « début de programme commun » et deuxièmement une rencontre officielle publique. Sur le programme commun, Mitterrand l'a taquiné devant moi en lui disant : « Au fond, ce dont vous avez besoin et envie, c'est de l'intitulé plus que du contenu. » Waldeck-Rochet a beaucoup ri, tout en s'en défendant.

Quant à la rencontre commune, nous avons élaboré une stratégie appropriée à la situation. Mitterrand ferait une conférence de presse. Il a été convenu au cours du dîner qu'il me demanderait de porter officiellement le texte exact de sa conférence de presse au comité central, qui serait réuni le lendemain ou le surlendemain au siège du Parti communiste, avec un mot d'accompagnement. Ce qui fut fait. Et qui permit de dire qu'un contact était noué entre nos deux formations.

Quant à la rencontre publique, elle eut lieu quelques jours plus tard dans les couloirs de l'Assemblée nationale, comme fortuitement. La face était sauve. L'accord était conclu. Mitterrand avait calculé tout ça au millimètre près. Nous étions en effet très surveillés.

Dans cette histoire, il avançait pas à pas. Il bâtissait son édifice. On avait l'impression – c'était souvent ça avec Mitterrand – d'une improvisation complète, mais en réalité toutes choses étaient longuement pesées et pensées : leur enchaînement, leur déroulement, les problèmes d'avenir, les contretemps, les embûches éventuelles.

Donc, le jour où il a annoncé sa candidature contre le général de Gaulle en 1965, c'était le résultat d'une longue et d'une bonne préparation.

Troisième condition : que la SFIO, c'est-à-dire Guy Mollet, accorde son investiture à Mitterrand. Mollet [1] n'aime pas Mitterrand mais, dans la vieille maison, ses lieutenants et les jeunes espèrent une mutation. François Mitterrand peut compter sur Pierre Mauroy, alors secrétaire général adjoint de la SFIO.

Gilles Martinet
Il a joué ce jeu de la candidature d'union de la gauche parce qu'il s'est rendu compte qu'il y avait un vide. Alors là, aussi bien Guy Mollet que les communistes ont fait une erreur de calcul extraordinaire, parce qu'ils voyaient en lui un politicien un peu discrédité, sans troupes. Donc aussi bien Mollet que les dirigeants communistes ne craignaient rien de Mitterrand. Ils se trompaient formidablement. Ils n'avaient pas compris l'importance de l'élection présidentielle.

A la fin de l'été 1965, François Mitterrand a toutes les cartes en main. Il ne lui reste plus qu'à choisir le bon moment pour abattre son jeu. Le 9 septembre 1965, le général de Gaulle tient une conférence de presse, sans vouloir se prononcer encore sur sa propre candidature.

Roland Dumas
Mitterrand nous avait conviés à déjeuner à quatre ou cinq dans un restaurant du boulevard Montparnasse

---

1. Qui s'était prononcé pour une candidature Pinay...

(« La Palette », aujourd'hui disparu). A la fin du repas, comme cela lui arrivait souvent, Mitterrand s'aperçut qu'il n'avait pas d'argent sur lui ; on a réglé la note à quatre. C'est alors qu'il s'est mis sur un coin de table et qu'il a commencé à rédiger son appel qui ressemblait à quelque chose comme ça : « Décidément, il y a incompatibilité d'humeur entre la démocratie et le général de Gaulle... Donc je serai candidat. » Je paraphrase, bien évidemment, car c'était mieux dit que cela. Je crois que le manuscrit de ce texte figure dans les archives de Charles Hernu. On avait l'impression qu'il venait de prendre sa décision, au cours du déjeuner. C'est en effet là qu'il a rédigé sa proclamation et fait acte de candidature, par l'intermédiaire de l'AFP.

Claude Estier
C'était assez drôle, nous sommes allés à quelques-uns déjeuner à Montparnasse et à un moment il a dit : « Bon, c'est maintenant qu'il faut le faire. » Il a arraché un coin de la nappe en papier et il a écrit quelques mots en disant : « Voilà, c'est le communiqué qu'il faut envoyer à l'AFP. » Et le fil de l'AFP a interrompu la conférence de presse de De Gaulle pour annoncer la candidature de François Mitterrand. C'était un jeu, mais qui était un jeu tactique, non dépourvu de malice, ni d'efficacité d'ailleurs.

Au PSU, au *Nouvel Observateur*, on se montre réticent devant la candidature de François Mitterrand.

Claude Estier
Oui, j'ai eu des difficultés parce que, le jour de la candidature de François Mitterrand, l'équipe du

Nouvel Observateur était très partagée pour des raisons diverses. Jean Daniel n'était pas hostile à Mitterrand mais restant un fervent admirateur de Pierre Mendès France souhaitait que celui-ci soit candidat. Ce que Mendès France n'a jamais imaginé ni envisagé. Jean Daniel était réservé sur la candidature de François Mitterrand parce qu'il pensait que ça barrait celle de Pierre Mendès France. Gilles Martinet, rédacteur en chef du journal, était franchement hostile. Il était au PSU et, par rapport à la guerre d'Algérie, très hostile à Mitterrand. Donc, moi j'étais chargé de rédiger l'article sur la candidature de Mitterrand. La première couverture, qui n'a heureusement jamais paru, c'était «Mitterrand, jamais». On s'est battus toute la nuit pour changer cette maquette, et la couverture historique de ce numéro est devenue «Mitterrand, pourquoi?».

L'organisation de la campagne mitterrandienne est artisanale. Quelques bénévoles, peu de fonds. Afin de compenser le manque de moyens matériels, Mitterrand met en branle tous les réseaux d'amitiés, tous les cercles créés depuis trois décennies. C'est dans les grandes occasions que les fidélités entretenues au fil du temps montrent leur efficacité. Des amis de jeunesse, les copains du stalag, les relations de la guerre, les compagnons de la IVe, le clan de la Convention, ils sont tous là et parfois ignorent qui sont ces amis de François qui rament dans le même bateau.

Claude Estier
Nous étions dans trois bureaux rue du Louvre qui étaient les anciens bureaux de l'UDSR, la petite formation qu'avait animée François Mitterrand, et nous étions peut-être cinq ou six. Moi, je m'occupais des

relations avec la presse. Nous avons un jour vu arriver une jeune femme qui s'est proposée pour taper à la machine, c'était Édith Cresson, qui a fait carrière ensuite. Charles Hernu avec son bagout habituel faisait comme si nous étions cinquante. Pour cette campagne, on n'avait pratiquement pas de moyens, pas d'argent.

Pierre Joxe
J'ai commencé à travailler avec lui dans sa campagne pour l'élection présidentielle de 1965.
C'était une toute petite équipe. Nous étions très peu nombreux. Il y avait Chevènement, moi, trois ou quatre autres... Ce fut une campagne très brève, très intense. Des gens comme moi ont fait cette campagne, parce que c'était le rassemblement des forces de la gauche.

Claude Estier
Il y avait d'abord tout l'ancien réseau de François Mitterrand, des anciens prisonniers de guerre, que je ne connaissais pas beaucoup, des gens qui ont joué un rôle tout à fait important, je pense à Georges Beauchamp, je pense au père d'Hubert Védrine, enfin des gens qui n'avaient pas jusque-là joué un rôle politique considérable, mais qui étaient des amis très proches de François Mitterrand. Il y avait d'autres gens que je ne connaissais pas non plus et que je n'ai pas repérés, si j'ose dire, sur le moment ; notamment un nom qui va surgir bien plus tard qui était celui de Bousquet. Car Bousquet était un proche de Mme Baylet, directrice de *La Dépêche du Midi*, et *La Dépêche du Midi* a beaucoup soutenu la campagne de François Mitterrand. Bousquet lui-même participa alors au soutien à

84

François Mitterrand. Mais Bousquet était un homme dont on ne connaissait pas les turpitudes anciennes. C'était quelqu'un qui avait été blanchi par la Haute Cour et qui a occupé pendant des années des fonctions très importantes dans différents conseils d'administration. Le nom de Bousquet ne me disait rien à l'époque.

C'est une caractéristique, voire une force de Mitterrand, de mettre en activité, chaque fois qu'il en a besoin, des gens, des réseaux, des cercles, qui ne se recoupent pas, mais qui appartiennent à des strates différentes...

Il compartimentait et il avait une méthode qui, quand je l'ai expérimentée pour la première fois, m'a beaucoup agacé, mais dont j'ai compris ensuite qu'elle était très efficace. Quand il chargeait quelqu'un de quelque chose, il chargeait quelqu'un d'autre de la même chose. Quand on s'en apercevait, c'était extrêmement désagréable. Mais j'ai compris ensuite que ça lui permettait d'avoir un jugement beaucoup plus objectif en fonction de ce que lui rapportaient l'un et l'autre ou plusieurs autres.

La campagne à la télévision, la première du genre, est l'occasion pour les téléspectateurs auxquels on présentait toujours les mêmes visages de découvrir de nouvelles têtes. Celle de Lecanuet, le candidat centriste, photogénique et incisif, et celle de Mitterrand qui, au fur et à mesure que la campagne avance, décoche des coups de plus en plus durs sur la personne du Général.

André Rousselet
C'était la première occasion de sortir de l'ombre. Nous découvrions ce qu'était la télévision et ce qu'était

une campagne présidentielle. Je me souviens qu'à l'époque j'étais notamment en charge de la campagne à la télévision. Nous tentions, et pour moi particulièrement la tâche n'était pas aisée, de rétablir l'égalité des conditions de campagne entre les deux candidats, et quels candidats! Vous vous imaginez ce que ça pouvait être, en 1965, le rapport de force entre un général de Gaulle qui enregistrait toutes ses émissions de télévision à l'Élysée et un François Mitterrand qui avait l'obligation d'enregistrer d'affilée ses interventions de bout en bout sans coupure ni remontage. François Mitterrand, qui n'avait jamais connu la télévision, avait droit à trois essais. Il fallait donc parler pendant dix minutes sans interruption. Au bout de trois essais, le meilleur était choisi pour diffusion. C'est Jean-Pierre Melville qui a été chargé de l'initier à la télévision. Avec le recul du temps, on ne pouvait pas choisir pire que Jean-Pierre Melville. La télévision par essence, c'est la sincérité et surtout pas la composition. Et donc François Mitterrand est arrivé à la télévision comme s'il allait sur un plateau de tournage. Quel que soit le talent de Jean-Pierre Melville, et il était grand, il s'est complètement trompé de cheminement pour l'amener à la télévision. Mal parti, Mitterrand a eu beaucoup de mal à s'y acclimater. D'ailleurs, pour le reste de sa carrière, il ne commençait à être à l'aise à la télévision qu'au bout de trente secondes, une minute; dans les premières secondes il était littéralement figé.

Pierre Joxe
Il n'était pas très spontané dans la vie publique. Il était même très contrôlé, très contracté, en particulier par rapport aux médias, à la télévision surtout. Il a mis

très longtemps à atteindre l'aisance de la fin de sa vie. Alors que dans la vie – je ne peux pas dire privée, parce que ce n'était pas un ami intime –, mais dans la vie du petit groupe que nous formions, il était très spontané, très drôle.

En dépit de ces multiples handicaps, la campagne tourne bien pour le candidat de la gauche. Au soir du premier tour, à la surprise générale, de Gaulle est contraint au ballottage, ce que personne n'imaginait. Grâce à un report de la plupart des 17 % des voix de Lecanuet, Mitterrand obtient 45 % des suffrages face à de Gaulle au deuxième tour. Le député de la Nièvre a réussi un coup de maître. Il est désormais le chef de l'opposition, maître de l'alternative. Ce n'est plus « de Gaulle ou le chaos », mais « de Gaulle ou Mitterrand ».

Pierre Joxe
On réinterprète l'Histoire. Souvent, je lui disais : « Mais ce n'est pas vous qui avez mis de Gaulle en ballottage, c'est Lecanuet. Si Lecanuet n'avait pas été candidat, il n'y aurait pas eu de ballottage. »
Il n'aimait pas beaucoup ça, mais il reconnaissait que politiquement et mathématiquement c'était vrai. Mais nous, on l'a vécu comme ça. On n'a pas fait cette campagne avec l'idée du ballottage, on a commencé à croire au ballottage assez tard. Il a eu l'intuition qu'il pouvait jouer un rôle ; un rôle servant son ambition qui était grande, un rôle qui pouvait mobiliser beaucoup de gens à gauche et un rôle qui dépassait ces deux aspects des choses, c'est-à-dire un rôle d'ouverture démocratique, de déblocage. Et au fur et à mesure qu'on progressait dans la campagne, petit à petit, on s'est dit qu'en plus il pourrait y avoir ce fameux ballottage. La droite étant divisée, de Gaulle

87

ayant Lecanuet en face de lui, le ballottage apparaissait comme une sorte de victoire. Ce qui a été le
cas, avec un impact psychologique incroyable.

6
Le conquérant

François Mitterrand a 50 ans. La campagne de 1965 l'a investi de ce destin national dont il rêvait depuis toujours. Reste à forger l'outil de son ambition. Dans la foulée de l'élection présidentielle est née la Fédération de la gauche démocrate et socialiste (FGDS). Mitterrand devient le président de ce conglomérat.

Le nouveau leader doit cependant toujours compter avec Pierre Mendès France qui doit à sa stature intellectuelle et morale, aux services rendus aussi, d'exercer une sorte de magistère sur la majorité de la gauche non communiste. Mais le refus des institutions de la Ve République où il s'enferme et l'antipathie qu'il ressent pour le Parti communiste, qui la lui rend bien, conduisent l'ancien président du Conseil à la marginalisation. A partir de 1965, François Mitterrand fait figure d'opposant numéro un au pouvoir gaulliste.

Aux élections législatives de 1967, la gauche qu'il mène à la bataille frôle la victoire et Mitterrand voit entrer au Palais-Bourbon la plupart de ses fidèles : Mermaz, Dumas, Rousselet, Dayan, Estier, Fillioud...

En février 1968, le leader de la FGDS franchit une nouvelle étape dans sa longue marche : il signe avec les communistes une plate-forme commune. L'union de la gauche, pour la première fois, se concrétise dans un document écrit, dussent les divergences rester nombreuses.

L'explosion de Mai 68 pulvérise les plans du leader de la

gauche. Ses amis de la Convention des institutions républicaines ont beau défiler, Dayan, Estier, Hernu, Rousselet et les autres, ces gens raisonnables ne sont pas à l'aise dans ce mouvement iconoclaste et chevelu auquel tente de donner sa caution le sage Pierre Mendès France, qui toujours parie sur la « jeunesse » et qu'a rejoint « l'homme qui monte » à gauche, Michel Rocard. En quelques jours, les grèves paralysent la France. A la fin du mois de mai, à l'heure où le pouvoir semble se décomposer, François Mitterrand estime le moment venu de faire acte de présence. Le 28, en présence des fidèles de toujours, il tient une conférence de presse.

Roland Dumas
Mitterrand reprochera à Mendès son attitude à l'égard des gauchistes. J'imagine aussi, avec le recul, que l'une de ses animosités à l'égard de Rocard datait de cette époque. Mitterrand considérait qu'en 68 le fruit était mûr pour que la gauche prenne le pouvoir. Pour lui, le désordre instauré par des gauchistes irresponsables avait tout gâché. En effet, tout est retombé. Il s'est vu cassé, rejeté, car 1968 incarnait un mouvement de la rue, spontané. Il me disait : « Ce sont des bourgeois qui ont basculé dans l'anarchisme. » Il préférait, à tout prendre, l'ordre et le sens des responsabilités des communistes.

Gilles Martinet
Mitterrand est perdu devant Mai 68. Il ne comprend pas ce qui se passe, c'est une espèce de folie. Il a envie d'aller voir à la Sorbonne, Mendès France l'en dissuade tout en y allant lui-même. Et puis vient un moment où on se dit : ces manifestations étudiantes commencent à s'épuiser ; il faut trouver une solution politique. Et là apparaît Mendès France, qui a déjà

90

parlé d'un gouvernement de transition, d'un gouvernement provisoire. Pour lui, de Gaulle représentait une sorte de répétition de Napoléon III. Or, l'aventure de Napoléon III s'était mal terminée et, en 1870, il a fallu faire un gouvernement provisoire. L'Histoire se répète avec Mai 68 ; c'est la fin du gaullisme, et il faut de nouveau un gouvernement provisoire qu'on va appeler gouvernement de transition. Cette idée gagne du terrain, non pas chez les étudiants mais chez beaucoup de politiques, y compris de députés gaullistes, y compris de militaires qui disent : après tout, Mendès France c'est honorable...

Alors la question non posée, c'est : est-ce qu'il va être appelé par de Gaulle ou est-ce que ce gouvernement va être imposé, et de quelle façon ? A mon avis, Mendès France n'écartait pas l'hypothèse d'être appelé par de Gaulle, auquel cas la transition de la Ve République vers une VIe n'aurait pas été facile. Je ne pense pas que de Gaulle ait lui-même pensé à lui. Néanmoins, il arrive ce moment où de Gaulle va perdre pied, va même se réfugier en Allemagne, et où le mouvement étudiant s'épuise, et il faut donc lancer cette proposition. L'affaire est débattue pendant le week-end du 25-26 mai au cours d'une réunion à laquelle participent le PSU, l'UNEF et les principaux dirigeants de la CFDT, dont Edmond Maire.

On charge Rocard de préparer un texte qui devrait être signé par des gens ayant adhéré pleinement au mouvement, et ce texte est un chef-d'œuvre de contradiction. D'un côté, il y a des références à la pensée de Mendès, c'est-à-dire référence à la situation économique grave et nécessité de mesures de rigueur et, de l'autre, on conseille aux « comités de base » de prendre la place des autorités officielles.

Mendès, dès le lundi après-midi, après Charléty[1], comprend qu'avec le PSU c'est fini. Il va voir les dirigeants de la Fédération de la gauche démocrate et socialiste (FGDS). Ils sont d'accord pour cette idée de gouvernement de transition. Mais Mitterrand, sautant sur l'occasion, convoque une conférence de presse. C'est lui qui va annoncer le gouvernement de transition. Et non pas Mendès. Et il le fait de façon à torpiller définitivement cette initiative. Il dit qu'il faut un gouvernement de transition, qu'on prononce le nom de Mendès France et que c'est bien. Mais, ajoute-t-il, il faut qu'il soit bien clair que, dans les trois mois qui suivent, intervienne une élection présidentielle et qu'il y sera le candidat de la gauche. Et ce faisant, il se met au-dessus de Mendès, futur Premier ministre du futur président. En même temps, il invite de Gaulle à démissionner. Donc il coupe absolument toutes les chances, si elles existaient, de voir de Gaulle appeler Mendès France. Ce torpillage entraînera une nouvelle traversée du désert pour Mitterrand, parce que beaucoup de dirigeants socialistes ne lui pardonnent pas une déclaration anticonstitutionnelle, ne lui pardonnent pas d'avoir suggéré une sorte de coup de force.

François Mitterrand (28 mai 1968)
Il convient dès maintenant de constater la vacance du pouvoir et d'organiser la suite.

Claude Estier
J'ai assisté à cette conférence qui a naturellement été interprétée d'une façon très négative contre François Mitterrand. Mais d'une façon qui me paraît tout à fait

---

1. Meeting gauchiste auquel assiste Mendès France.

injuste parce qu'on a complètement oublié que le général de Gaulle auparavant avait annoncé un référendum et en même temps que, s'il était battu à ce référendum, il se retirerait – ce qu'il a d'ailleurs fait un an plus tard. Donc, que François Mitterrand dise « si le pouvoir est vacant, je suis candidat », ce n'était pas scandaleux. Mais cela a été interprété comme un coup contre les institutions. La télévision permettant quand même un certain nombre de trucages d'images, on a montré François Mitterrand levant le poing comme s'il allait engager la révolution. Ça lui a beaucoup nui et on s'est retrouvés dans une situation complètement confuse. On avait le sentiment que tout le travail qui avait été accompli depuis le début des années 60 s'effondrait brusquement.

Roland Dumas
J'étais là, au premier rang, quand éclatèrent les applaudissements et que Mitterrand a levé la main. Quelques photographes bien intentionnés ont pris l'image par en dessous. Le but était évidemment de donner une impression tout à fait fâcheuse. Le geste de Mitterrand aurait ressemblé au salut fasciste. On se serait cru au grand Conseil fasciste de Mussolini où le dictateur levait la main pour saluer ses partisans. Cette photo ridicule, exploitée sous tous les angles, a fait le tour des gazettes. C'était stupide, mais c'est comme ça, la vie est comme ça ! Regrettable mouvement. Certains journaux allèrent jusqu'à dire que Mitterrand se posait en dictateur à l'occasion de cette conférence de presse qui avait suivi la crise de la FGDS et l'échec politique de 1968.

Le pas que François Mitterrand a fait vers le pouvoir est cette fois un faux pas. De Gaulle a feint de se retirer, mais est revenu en force. Mitterrand a cru pouvoir s'engouffrer dans le vide. Il s'est heurté à une masse : le raz de marée gaulliste des Champs-Élysées va submerger les urnes. Aux élections législatives de juin 1968, la droite remporte une victoire sans précédent dans l'histoire moderne du pays – dût le Général en être dépité.

François Mitterrand a sauvé son siège de député, mais il est redevenu, pour longtemps, un pestiféré. Même à la FGDS, il sent le soufre ; on le tient à l'écart, comme après l'affaire de l'Observatoire. Une nouvelle fois, Mitterrand est à terre. Seule la garde rapprochée (Mermaz, Dayan, Hernu…) lui permet de reprendre sa route, avec obstination.

Pendant des mois, Mitterrand court les estrades, répétant à l'envi qu'il faut unir toute la gauche non communiste dans un seul parti afin de créer une force capable de discuter avec les communistes. On le moque, il persiste.

Claude Estier
Il était un peu pestiféré. Les élections de juin 1968 ont été un raz de marée de la droite. François Mitterrand était le seul survivant de la Convention des institutions républicaines dans le groupe FGDS, dont il était toujours président, mais dont plus personne ne voulait. On a oublié ce détail qui est quand même assez intéressant : c'est que les parlementaires SFIO qui avaient survécu ne voulaient plus de lui. Et François Mitterrand a siégé comme non-inscrit ! Candidat unique de la gauche en 1965, président de la FGDS, victorieux, relativement, aux élections législatives de 1967, un an plus tard, il se retrouve non inscrit à l'Assemblée nationale !

Il a senti que les événements de 68 s'étaient finalement déroulés en dehors de nous, en dehors de lui. Mais il avait retenu quelque chose qui a été ensuite, je crois, fondamental. François Mitterrand, pendant

94

toute sa carrière, avait été hostile aux appareils politiques. Il avait eu un petit groupe charnière, l'UDSR,
sous la IVe République qui avait beaucoup servi à faire
des majorités d'un côté ou de l'autre, la Convention
des institutions républicaines était un petit groupe
beaucoup plus d'amis qu'un vrai appareil politique.
Mais il a compris en 68, devant l'impuissance de la
gauche, qu'on ne pouvait pas arriver au pouvoir si
l'on ne disposait pas d'un vrai parti politique avec un
vrai appareil, avec un vrai réseau, avec des fédérations
dans chaque département. Et c'est là qu'a germé dans
son esprit l'idée qu'il fallait reconstituer un grand parti
politique.

En 1969, la vieille SFIO s'est transformée en un « Parti
socialiste » dont Alain Savary, estimé de tous, a pris la tête ; mais
Guy Mollet continue d'en contrôler la machine. Pour s'en affran-
chir, Savary convoque un congrès d'unification des courants de
gauche non communiste, y compris des courants chrétiens, à
Épinay, en juin 1971. Mitterrand et ses amis de la Convention
sont invités. L'ancien candidat de la gauche unie est-il déjà
décidé à se saisir des commandes du nouvel appareil ? Il est
déjà bien pour lui de réapparaître au premier plan au côté
de Savary qu'il croit pouvoir contrôler. Mais la soif de dominer
l'emporte bientôt, d'autant que s'offrent les concours néces-
saires, à sa droite comme à sa gauche. Les « grosses fédérations »
socialistes du Nord et des Bouches-du-Rhône, de Mauroy et de
Defferre, qui composent la « droite » du parti, sont consentantes.

Claude Estier
Le succès d'Épinay a tenu à peu de chose. Après un
congrès qui a duré quatre jours, la motion défendue
par Mitterrand, contre celle soutenue par Savary et
Guy Mollet, l'a emporté par 52 % contre 48. Ce n'était

pas évident au départ. Il a fallu une préparation. Il y avait eu une première alliance entre ce qui était la Convention des institutions républicaines et une partie de la SFIO, la partie, disons, moderniste ou anti-molletiste de la SFIO, c'est-à-dire Pierre Mauroy, Gaston Defferre. Mais cette alliance de base pour le congrès d'Épinay ne faisait pas une majorité. Et ce qui a permis d'avoir finalement une majorité, c'est le ralliement du CERES de Jean-Pierre Chevènement, qui a évolué vers nous au cours du congrès. La motion finale a été soutenue par Mauroy, Defferre, la Convention et le CERES de Jean-Pierre Chevènement. Et c'est ainsi qu'on est arrivé à une majorité, étroite, mais qui a permis de créer une nouvelle dynamique.

Gilles Martinet
Et Mitterrand manœuvre admirablement. C'est un véritable complot, ce congrès d'Épinay. Il s'est entendu avec Defferre et Mauroy. Au dernier moment, il met le CERES dans le coup, parce que sans les 7 % des voix du CERES il n'a pas la majorité. Il présentera une motion qui est la copie de la motion du CERES et il va gagner de justesse. Et notamment, parce que, comme il faut quand même donner l'impression que c'est un vrai rassemblement, alors que son club, la Convention des institutions républicaines, groupe à peine 2 000 à 3 000 membres, il le fait compter pour 10 000 ; or, la majorité ne sera que de 1 500 voix, je crois. Donc, il obtient par ce coup de force une majorité un peu artificielle, mais il a la majorité. Il devient le premier secrétaire d'un parti dont il n'a pas encore pris la carte.

Claude Estier

Je me souviens d'une chose très précise. Le soir de notre victoire au congrès d'Épinay, François Mitterrand nous avait réunis quelques-uns à dîner, on était tous très heureux d'avoir gagné. Il nous a calmés en nous disant : « Mes amis, on a remporté un grand succès, mais ne vous faites pas d'illusion, il y en a pour dix ans. » C'était en juin 1971, et Mitterrand est devenu président de la République en mai 1981. C'est ce qui s'appelle avoir une vision stratégique assez lointaine.

Voici François Mitterrand patron d'un parti auquel il n'appartenait pas quarante-huit heures auparavant. Certains parlent de hold-up. On peut dire plutôt qu'il s'agit d'une sorte d'OPA, l'aboutissement en tout cas de la stratégie des petits cercles qui ont fini par faire une grande sphère. Au détriment de l'honnête homme qu'est Savary, François Mitterrand est devenu le premier des socialistes. Est-il pour autant devenu socialiste ? Mollet ricane : « Mitterrand n'est pas socialiste, il a appris à le parler. »

Gilles Martinet

Là où la chose devient assez curieuse, c'est quand, pour conquérir le Parti socialiste, au moment du congrès d'Épinay, il devient brusquement socialiste. Il n'a jamais pris une carte socialiste, il n'a jamais parlé de socialisme. Et le voilà qui commence à évoquer la rupture avec le capitalisme et la lutte de classes. Alors, quand il le faisait, je dois dire que je regardais mes souliers, parce que la sincérité ne débordait pas de ce genre de propos. Il voulait montrer, c'était aussi un jeu, qu'il était capable d'assimiler un certain vocabulaire et de l'utiliser. Cette période, disons, de rhétorique socialiste révolutionnaire (le pro-

97

gramme commun était un programme réformiste mais à finalité révolutionnaire) était dominée, pour Mitterrand, par des considérations purement tactiques.

Claude Estier
Avec le recul, on pourrait dire que beaucoup de choses qui ont été dites à cette époque-là ne se sont pas traduites dans la réalité. Mais la rupture avec le capitalisme, c'était une notion qui avait cours à l'époque, dont personne ne parle plus aujourd'hui. C'était vraiment les termes idéologiques et programmatiques, mais Mitterrand était un homme très concret aussi et très pragmatique et, indépendamment des proclamations idéologiques, sa grande idée était de rassembler la gauche et de totaliser les voix de gauche dans une élection. En trouvant les moyens d'une collaboration prudente, méfiante, mais réelle avec le Parti communiste.

7

L'union avec le diable

François Mitterrand a pris en main le PS – lui ralliant plusieurs organisations de gauche ou des hommes comme Jacques Delors. Il lui reste à mettre en pratique la stratégie qui sous-tend toute son action politique depuis 1965 et peut-être plus tôt, on le sait : l'union de la gauche, c'est-à-dire l'union avec les communistes. Les négociations pour un programme commun commencent avec un parti puissant, hégémonique dans la classe ouvrière grâce à la CGT, et encore lié à Moscou. Les discussions sont âpres. Après une nuit d'interpellations, d'adjurations, de faux départs, d'anathèmes (« Vous voulez notre chemise ! », rugit Marchais), les deux partis aboutissent à un texte, le 27 juin 1972 à l'aube.

Le leader du PS croit-il vraiment que le programme commun est applicable ? Peu importe. Ce document vaut évidemment plus par son existence, qui est un tour de force, que par son essence, qui est médiocre. Il scelle l'union de la gauche. Fragile ? Ce qui est clair, c'est que Mitterrand peut désormais s'appliquer à mettre en pratique son postulat : pour gagner, j'ai besoin des communistes, mais pour arriver au pouvoir comme pour l'exercer, je dois être plus fort que les communistes. Toute sa stratégie est là. En tout cas, cet accord au sommet répond à une attente de la base. Artificielle, fragile ou non, l'union séduit le « peuple de gauche ».

Claude Estier

Je pense que la grande idée, c'était le rassemblement de la gauche ; sans ce rassemblement, la gauche ne peut gagner. Mais dans ce rassemblement, il faut rééquilibrer les forces. Tant que le rassemblement sera dominé par le Parti communiste, il n'y aura pas non plus de possibilité de victoire. Donc, il faut dans le cadre du rassemblement rééquilibrer les rapports pour donner le rôle premier au Parti socialiste.

Mitterrand était tout à fait convaincu, et il n'avait pas tort d'ailleurs, qu'une grande partie de l'électorat qui pouvait voter socialiste ne voulait plus voter SFIO, qui était complètement discréditée, démonétisée, et donc beaucoup de ses électeurs allaient voter pour le Parti communiste. En 1969, lorsque Jacques Duclos a été candidat à la présidence de la République, il a fait 21 % des voix, il a failli être au second tour d'ailleurs. Il n'y avait pas que des communistes qui ont voté pour Jacques Duclos, tout Jacques Duclos qu'il ait été. Cela veut dire que beaucoup d'électeurs de gauche, socialistes ou en tout cas de gauche, faute d'autre chose, votaient communiste. L'idée de François Mitterrand, c'était qu'un vrai Parti socialiste ancré à gauche – et l'ancrage à gauche était étiqueté par le programme commun –, ça permettait de faire revenir autour du Parti socialiste, ce qui s'est vérifié dans les années suivantes, un électorat qui était un peu perdu. Jusqu'en 1978 le Parti communiste a été dominant, mais à partir de là il est passé au second plan et ensuite on l'a vu décliner, ce qui n'est pas dû qu'à la stratégie de Mitterrand, mais aussi aux erreurs commises par le Parti communiste.

Jack Ralite

Mais là, on trouve chez Mitterrand une capacité politique étonnante, puisqu'il s'allie avec la force principale de la gauche et qu'il réussit à la rendre la force seconde et à faire passer première celle qui était seconde. Du point de vue de la capacité politique, stratégique, on a presque envie de dire : « Chapeau ! »

Pierre Joxe

Mitterrand n'aimait pas les programmes. Il en avait même horreur. Mais il était assez intelligent pour comprendre qu'on ne pouvait pas faire deux fois le coup de 1965 où il s'était présenté avec ses sept options vagues et ses vingt-huit propositions. Le problème pour lui, c'était d'accepter l'idée d'un programme détaillé.

Il y avait une contradiction, d'une certaine façon, entre le fait de faire un programme écrit aussi détaillé que le programme commun et dire : « On va l'appliquer. » Cela avait quelque chose de fou. Mais la dimension symbolique d'un programme est plus importante que sa dimension instrumentale. Ce que dit un programme, ce n'est pas seulement : telle page, voilà ce qu'on va nationaliser, ou telle page, on va supprimer la peine de mort, ou telle page, on va modifier les règlements en matière de liberté syndicale. Plus important dans le programme que chaque page ou chaque mesure, c'est l'intention politique de ceux qui le rédigent et le signent.

Mitterrand disait qu'on ne doit pas faire de programme parce qu'on n'est pas sûrs de pouvoir l'appliquer ; moi, je disais qu'on doit rédiger un programme, même si on n'est pas sûrs de l'appliquer, pour montrer dans quelle direction on veut s'orienter. La politique a

101

une grande dimension symbolique, et l'instrument qu'est un programme est une chose, mais la signification symbolique de ce programme en est une autre. Et Mitterrand a été le symbole, l'auteur de ce symbole, et il pouvait l'être parce qu'il avait été lui aussi le symbole du rassemblement de la gauche en 1965 à l'occasion de l'élection présidentielle.

La mort soudaine du président Pompidou, en avril 1974, précipite les échéances et surprend une gauche en plein essor. Tandis qu'en vue de l'élection présidentielle deux héritiers présomptifs – Jacques Chaban-Delmas et Valéry Giscard d'Estaing – se disputent le leadership à droite, François Mitterrand est le candidat unique de la gauche. Mais, cette fois, les moyens du candidat sont à la mesure de son ambition. Les foules acclament un champion qui sait colorer sa foi républicaine d'un socialisme bien tempéré. De meetings géants en rassemblements monstres, la fièvre monte. François Mitterrand, cet homme de tempérament réservé, amoureux des petits groupes, reçoit avec ravissement le baptême des masses.

Chaban marginalisé par Giscard, l'événement de la campagne est le face-à-face télévisé entre les deux candidats restés en lice pour le second tour. Toute la France est devant le petit écran. Les deux adversaires ne se ménagent pas et Giscard décoche à Mitterrand des formules meurtrières, dont l'une – « Vous n'avez pas le monopole du cœur » – lui vaudra de l'emporter.

Élu d'un cheveu, Valéry Giscard d'Estaing entre à l'Élysée pour sept ans (au moins…, se dit-on). François Mitterrand a 58 ans. L'âge de la retraite ? Il n'y songe pas une seconde [1].

---

1. L'âge où Charles de Gaulle fonde le RPF. Clemenceau est président du Conseil pour la première fois à 65 ans.

Pierre Joxe

Mitterrand avait tout fait pour battre Giscard et il a été naturellement « sonné » sur le moment. Mais il se trouve qu'il a réuni le lendemain deux cent cinquante ou trois cents d'entre nous dans une grande salle ; et sa fermeté a été contagieuse. Il n'y a pas eu de découragement, il y avait un enthousiasme formidable.

Claude Estier

Le lundi matin, quand nous nous sommes retrouvés tour Montparnasse, on était tous extrêmement tristes, extrêmement déçus. Mais Mitterrand nous a immédiatement dit : « Bon, ce sera la prochaine fois ! »

Certains l'ont alors vu moins impavide. Mais ce « gagneur » imperturbable reprend sa route et creuse son sillon. Depuis 1946, Mitterrand laboure son fief de la Nièvre, semaine après semaine. Maire de Château-Chinon, président du conseil général, il ne perd pas une occasion de ferrailler, même à distance, avec le nouveau chef de l'État. Pour François Mitterrand, la politique est un art. Mais c'est aussi et peut-être surtout un métier, qu'il exerce aux dépens des amateurs.

8

La guerre des deux roses

La « gauche de Mitterrand » a le vent en poupe. Aux élections municipales de 1977, elle est portée par un véritable raz de marée. Mais cette poussée profite surtout au Parti socialiste qui gagne deux fois plus de villes que le PC. Trop, par rapport à ses alliés ? Georges Marchais commence à se rendre compte avec amertume que Mitterrand est en train de gagner plus vite que prévu son pari : rééquilibrer la gauche au profit du PS. Ce qui nourrit une méfiance originelle et ouvre la voie à la discorde [1].

Après des semaines de négociations sur « l'actualisation du programme commun » exigée par les communistes, l'union de la gauche est rompue en septembre 1977. Le Parti communiste sabote la stratégie mise en place depuis plus de dix ans par Mitterrand. Lequel accuse le coup, mais décide de ne pas broncher et de maintenir la ligne malgré (et, désormais, contre) Marchais. Il est persuadé qu'il ne s'agit que d'une crise, que le PCF lui reviendra.

En attendant, les élections législatives du 28 mars 1978, qui s'annonçaient triomphales – dans l'union –, voient la défaite de la gauche désunie. Le soir du scrutin paraît, entre autres, sur un plateau de télévision, Michel Rocard, le visage crispé par la

---

1. Il ne faut pas oublier que, dès 1972, au Congrès de l'Internationale socialiste de Vienne, François Mitterrand a déclaré qu'il a fait l'union de la gauche pour récupérer les voix socialistes conquises par le PCF sur la SFIO...

104

tristesse, qui martèle : « La gauche vient de manquer un nouveau rendez-vous avec l'Histoire, mais il n'y a pas de fatalité de
l'échec. » Cette sortie, qui ne le vise pas spécifiquement, est perçue par François Mitterrand comme une déclaration de guerre.
Cela fait des années que Michel Rocard l'exaspère. Il a tout de
suite vu en lui un rival. Ce protestant, ancien leader des étudiants socialistes hostiles à la guerre d'Algérie (et comme tels au
ministre Mitterrand), cofondateur du PSU, s'est toujours présenté
comme le fils spirituel de Mendès France. Il ne s'est rallié au
Parti d'Épinay qu'en 1974 lors d'assises du socialisme, où adhè-
rent en même temps que lui Jacques Delors et nombre de militants de la CFDT.

Gilles Martinet
Mais, fondamentalement, je crois que ce qui énerve
Mitterrand chez Rocard, c'est le soutien qu'il reçoit
des milieux chrétiens. J'ai eu une fois une conversation
avec Mitterrand à ce sujet. Je lui ai reproché d'avoir
une attitude assez négative à l'égard des gens qui
venaient du PSU. Il m'a dit que le problème n'était
pas celui du PSU, mais celui des chrétiens de gauche.
« Ce sont, m'a-t-il dit, des gens admirables par certains côtés, mais enfantins par beaucoup d'autres. Ce
sont des gens qui n'ont pas un vrai sens politique et
qui sont, de ce point de vue, dangereux parce qu'ils
n'acceptent pas de reprendre à leur compte la tradition de la gauche française qui est, qu'on le veuille ou
non, une tradition laïque, anticléricale. Ils se sentent
un peu des enfants adoptés au sein de la gauche et ils
veulent que tout recommence comme s'il existait une
table rase. Je suis heureux qu'ils soient dans le Parti
socialiste, mais il ne faut pas qu'ils deviennent majoritaires... »
A ce moment-là, Mitterrand craignait une entente

entre Edmond Maire, la CFDT et Rocard. Il craignait une entrée massive, qui n'a pas eu lieu d'ailleurs, des militants de la CFDT dans le Parti socialiste. Parce qu'il faut faire un mélange, mais dans ce mélange, la part de christianisme de gauche ne peut pas être trop forte. Ils sont trop angéliques, ils sont trop naïfs et la politique, c'est autre chose. Telle était la pensée de Mitterrand.

Naïf ou pas, Rocard veut, en 1978, donner un « coup de vieux » à Mitterrand. Il parle de son « archaïsme ». Pour contrer l'offensive de ce jeune rival plus populaire que lui, Mitterrand assure la promotion des « sabras [1] », ces jeunes gens prometteurs qui viennent d'adhérer au PS. Le vieux renard s'appuie sur de jeunes loups, comme Paul Quilès, 37 ans, polytechnicien, froid, méthodique, organisé.

Paul Quilès
J'ai été élu député de Paris en 1978. J'ai compris que la méthode de Mitterrand, à l'égard des hommes qui réussissaient quelque part, consistait à voir s'il ne pouvait pas se les attacher pour travailler avec eux. C'est comme cela qu'il m'a fait venir peu après mon élection, pour me dire : « J'ai de graves difficultés internes, notamment avec Michel Rocard, et je vous demande de préparer le congrès de Metz pour moi. » J'ai été très surpris et j'ai rapidement ressenti une grande angoisse, parce que je ne connaissais pas, par le détail, le fonctionnement du Parti socialiste. Voilà comment je me suis retrouvé d'un seul coup chargé d'organiser la campagne de Mitterrand pour ce congrès de Metz,

---

1. Ainsi nommait-on en Israël, dans les années 50, les jeunes gens nés en Palestine.

où il a préservé sa majorité et enclenché le processus qui l'a conduit à la victoire de 1981.

Jack Lang, 38 ans, professeur de droit et fou de théâtre, fondateur du festival d'art dramatique de Nancy, un temps directeur de Chaillot, fourmille d'idées et de projets. Il se rapproche du soleil.

Jack Lang
Notre première rencontre, pour être honnête, n'avait pas beaucoup d'intérêt. Je l'ai rencontré en tant que nouveau directeur du Théâtre national du palais de Chaillot. Et..., pour vous dire très franchement, je ne suis pas reparti enthousiasmé par cet échange, mais la réciproque a dû être vraie. Il n'était pas inspiré lui non plus.
En 1978, après la non-victoire aux élections législatives, François Mitterrand a été l'objet d'attaques multiples internes et externes. Internes : Michel Rocard a dénoncé ce qu'il appelait l'archaïsme. Une entreprise de déstabilisation a été menée. Et des campagnes externes : toute une partie de la presse souhaitait le départ de celui que certains appelaient le PDG de la gauche. Donc François Mitterrand a réuni ses amis, de Louis Mermaz à Lionel Jospin et Georges Dayan. J'appartenais à une filiation différente, il a souhaité solliciter ma présence à ses côtés pour accomplir des missions très précises : premièrement, le conseiller pour la culture et, deuxièmement, prendre la tête de la préparation un an avant la campagne européenne. Et ça a été un moyen, si vous voulez, à travers une longue campagne européenne, ville par ville, département par département, pour François Mitterrand de sillonner la France, parlant d'Europe mais parlant aussi politique,

reconquérant section après section, fédération après fédération, le Parti socialiste dont il risquait de perdre la direction.

Il allait par monts et par vaux, c'était un homme qui avait un emploi du temps d'enfer : sa circonscription, son département, le Parti socialiste, des voyages à l'étranger, sa vie personnelle. Quand il a été élu président de la République, par comparaison il semblait être un homme beaucoup plus libéré des contraintes d'emploi du temps.

Au Conseil d'État, Georges Dayan a remarqué un normalien, énarque, doué pour les affaires économiques, orienté à gauche : Laurent Fabius, 32 ans. Bonne recrue pour le *brain-trust* de François Mitterrand.

Laurent Fabius

Ma rencontre avec Mitterrand s'est produite de la façon suivante : nous travaillions avec Robert Badinter, Jean-Denis Bredin, Jacques Attali, Michel Serres à un essai sur les libertés. A l'époque je sortais de l'École normale, je militais au Parti socialiste, j'appartenais au Conseil d'État, et cette équipe cherchait quelqu'un qui connaissait bien les problèmes d'éducation, de culture. Ils m'ont demandé de venir travailler avec eux. Ce que j'ai fait pendant un an. On a travaillé ensemble pour produire un petit livre intitulé *Libertés, liberté*. Mitterrand devait préfacer le livre. Un jour, nous nous sommes tous rendus à son bureau, place du Palais-Bourbon. On montait par une espèce de monte-charge vers le Saint-Graal, et Mitterrand nous a reçus. Il nous a fait comprendre – sa préface l'a confirmé – qu'il conservait quelque distance à l'égard de ce que nous avions produit. On a procédé à un

petit tour de table pendant un quart d'heure. Le lendemain, j'ai reçu un coup de fil de sa secrétaire qui m'a dit : « Le président – parce que, avant même d'être président, tout le monde l'appelait déjà président – le président veut vous voir. »
Je suis donc allé rue de Bièvre et il m'a demandé en substance ceci : « Voulez-vous devenir mon directeur de cabinet ? » C'était le point 1. Point 2 : « Je vous précise que je n'ai pas de cabinet. » Ce qui, au fond, constituait un peu... la synthèse mitterrandienne. J'ai réfléchi, longuement, au moins une heure ou deux et j'ai dit : « D'accord. » Ce qui fait que, à l'époque, puisque je relevais du Conseil d'État, pendant la journée je travaillais pour les pouvoirs publics, et le soir j'ai commencé à travailler auprès de Mitterrand. C'était un poste prestigieux, mais qui consistait essentiellement à corriger les lettres et à éviter les fautes d'orthographe. Et puis, comme cela arrive parfois, compte tenu de notre proximité géographique, de notre fréquentation quotidienne, il a appris à avoir confiance en moi. De mon côté, j'ai commencé à le connaître. C'est ainsi que l'aventure a démarré.

C'est lors du congrès de Metz, en avril 1979, que se produit l'inévitable affrontement entre Mitterrand flanqué de ses sabras et Rocard, soutenu par Martinet et allié à Pierre Mauroy. Metz est le champ d'une bataille pour le pouvoir dans le parti. Qui l'emporte là prend une option décisive pour la candidature à la prochaine élection présidentielle, en 1981.

Gilles Martinet
Il y avait une autre motivation pour Mauroy, qui avait derrière lui les anciens de la SFIO à cette époque.

Ceux-ci trouvaient que Mitterrand plaçait ses hommes partout, et ils en avaient assez. Ils étaient encore majoritaires dans le parti, et il fallait obliger Mitterrand à composer et à ne pas continuer cette colonisation qu'il effectuait année par année, je dirais presque mois par mois.

Jacques Delors
J'ai vécu le congrès de Metz avant tout comme un conflit de pouvoir. Quand le comité des résolutions s'est réuni pendant la nuit, nous avons été deux ou trois à tenter de rapprocher les points de vue, c'était comme dans une tragédie grecque, Mitterrand voulait la rupture et une claire majorité pour soutenir sa stratégie politique.

Dominante, certes, à Metz, la lutte pour le pouvoir ne doit pas masquer un double débat de fond, sur la stratégie économique d'une part, et d'autre part sur la politique d'union de la gauche.

Pierre Joxe
Au congrès de Metz, par exemple, le problème était vraiment de savoir si oui ou non on allait continuer sur la stratégie de rassemblement des forces de gauche. Remporter la victoire signifiait ensuite gouverner avec l'ensemble des forces de gauche ou non. Le choix entre Rocard et Mitterrand, par exemple, c'était ça. C'était deux stratégies et deux individus. Je pense que la stratégie et la personnalité de Mitterrand répondaient mieux à cette aspiration.

Claude Estier
Mitterrand s'est senti menacé, le climat était plus que pesant, il y a eu même des affrontements physiques

dans la salle. Le climat était très, très tendu. Mais Mitterrand s'est battu et il a réuni quand même autour de lui tous ceux qui, y compris le CERES qui s'était un temps éloigné de nous, étaient décidés à poursuivre dans la voie tracée depuis 1971. Il a donc retrouvé une majorité, dans un congrès qui a été, effectivement, tendu mais, à mon avis, décisif.

Gilles Martinet
Mitterrand nous a dit : « Vous voulez revoir le programme commun à la baisse cependant que les communistes veulent le revoir à la hausse. Vous avez peut-être raison sur le plan économique, mais qu'est-ce qu'un bon programme économique si on n'est pas au pouvoir ? Or, le seul moyen de coincer les communistes, c'est de tenir le langage que je tiens. A savoir le programme, tout le programme, rien que le programme. Parce que les Français ne souhaitent pas qu'on durcisse le programme, mais ils sont sensibles au fait qu'on a pris des engagements et qu'on les tient. » Sur le plan stratégique, c'est Mitterrand qui avait raison. Et ça, ça a été le triomphe de la stratégie de Mitterrand qui était fondée sur des idées auxquelles finalement il ne croyait qu'en partie et qui devaient être, en grande partie, abandonnées en 1982-1983.

Pierre Joxe
Mitterrand avait une tripe de tribun, il était capable de captiver des auditoires extrêmement divers. Rocard, qui était plus calé, plus précis, plus méthodique, un peu techno, avait beaucoup de succès dans les milieux intellectuels, mais beaucoup moins dans les milieux

populaires. J'ai toujours pensé que cette élection présidentielle-là était faite pour un homme comme Mitterrand.

9

Un soir de mai

François Mitterrand l'a emporté de justesse au congrès de Metz. Rocard, qui a présenté sa candidature devant les instances du parti, la retire. En janvier 1981, le premier secrétaire est investi par le Parti socialiste comme candidat. Il se lance alors dans sa troisième campagne présidentielle. Les petits cercles de naguère ont fait place à une énorme machine, plus importante encore qu'en 1974, qui tourne comme une usine. Derrière Mitterrand, ils sont tous là, y compris les opposants d'hier. La « force tranquille [1] » est en marche. Le thème dominant de la campagne se réduit à la dénonciation du pouvoir giscardien.

Claude Estier
La campagne de 1981 a été une campagne, si j'ose dire, triomphale. Parce que tous les jours amenaient des éléments positifs, du fait de la très mauvaise campagne que Giscard a menée à l'époque. Giscard a mené une campagne, si j'ose dire, archaïque, dans la mesure où il mettait l'accent, surtout entre les deux tours, sur le fait que Mitterrand était prisonnier des communistes et que la victoire de Mitterrand c'était le Parti communiste au pouvoir. Ce qui était une erreur fondamentale, parce que le Parti communiste était

---

1. Le slogan est inventé par Jacques Séguéla.

déjà très diminué à cette époque-là, que personne n'a cru ça. Cette erreur tactique grave de Giscard a plutôt conforté Mitterrand. Moi, j'ai fait tous les meetings de toutes les campagnes, mais je dois dire que les meetings de 1981, c'était une espèce de marche triomphale. Et donc, dans les derniers jours, on n'avait plus aucun doute sur la victoire.

Paul Quilès
Le vendredi 8 mai [1], dans l'avion qui nous ramenait du meeting de Nantes vers deux ou trois heures du matin, il était très détendu, parce que la campagne était terminée. Il est venu vers moi, il m'a mis la main sur l'épaule – ce qui était un petit geste affectueux très rare chez lui – et il m'a demandé : «Vous n'êtes pas trop fatigué ? Alors, cette campagne, qu'est-ce que vous en pensez ? » Je me souviens m'être interrogé devant lui : « Est-ce que vous vous rendez compte, nous sommes là à vingt-quatre heures de l'élection et, dans quarante-huit heures, vous serez président de la République ? » Il m'a regardé et, sans me contredire, il m'a renvoyé la question : « Est-ce que vous vous rendez compte ce que ça signifie : un président de la République de gauche, aujourd'hui, en France... Vous vous rendez compte de ce que ça signifie pour l'Histoire ? »

Hubert Védrine
En 1981, en tant qu'élu de la Nièvre, je suis dans ce département pour voter. Et comme le font les élus socialistes de la Nièvre, le soir, je me dirige vers Châ-

---

1. Soit deux jours avant le scrutin.

teau-Chinon. J'arrive à Château-Chinon, ce 10 mai à la fin de la journée, et je vois cette ambiance qui a été maintes fois racontée, notamment à partir du moment où les premiers sondages répandent la nouvelle. Bon! Après je suis dans cette petite foule. Il n'y avait pas énormément de gens, mais quand même une petite foule qui l'entoure d'une façon à la fois affectueuse et respectueuse et qui se dirige avec lui vers la petite mairie de Château-Chinon. Et c'est à ce moment-là que juste après cette première déclaration, dans un couloir... il y a ma femme et moi, il s'arrête un instant et nous dit : « Vous vous rendez compte de ce qui nous arrive ? » avec le sentiment de quelqu'un qui éprouve un mélange de vertige et d'ivresse, mais qui sait exactement ce qu'il va faire. Tout de suite après, il me dit : « Il faut que vous preniez contact demain matin avec mon secrétariat, vous faites partie d'un petit groupe de gens dont je vais avoir besoin. »

Claude Estier
Le 10 mai au soir, on était tous rassemblés rue Solférino. Quand il est arrivé de Château-Chinon, vers minuit, certains étaient à la Bastille, moi j'étais resté au siège du PS pour l'accueillir avec quelques autres. Là, c'était l'émotion totale. C'était vraiment le couronnement de toutes ces années de lutte, de combat, avec des hauts et des bas. Mais l'aboutissement de ces dix années prédites au soir du congrès d'Épinay.

Paul Quilès
Je n'ai pas vu le même Mitterrand ce soir-là. Il était déjà très entouré par beaucoup de monde. Des gens qui commençaient à lui faire plus de sourires que d'habitude, dans une excitation qui m'a un petit peu

rebuté. J'avais été très proche de lui pendant toute la campagne et j'avais l'impression qu'il m'échappait complètement. C'était un autre homme... Pas tellement de son fait, mais à cause de l'entourage. C'est malheureusement un phénomène classique.

Pierre Joxe
Sa vie basculait tout d'un coup. Il avait une telle expérience d'opposant et tout à coup il devenait chef de l'État. Il avait précautionneusement préparé son discours pour le cas où il serait battu. Il n'avait pas voulu préparer son discours pour le cas où il serait élu, donc il a fallu qu'il le prépare. Il n'était pas du tout indifférent, non, il était traversé de mille interrogations.

Le 10 mai 1981, François Mitterrand est élu président de la République. A Château-Chinon, il savoure sa victoire : vingt-trois ans d'opposition, vingt-trois ans de combat politique, des centaines de réunions, de meetings, de colloques, d'articles [1]. La longue marche entamée au lendemain de l'arrivée au pouvoir du général de Gaulle [2] s'achève en triomphe. Sans doute songe-t-il en ces instants à son cher Dayan, compagnon des jours incertains, disparu quelques mois auparavant sans connaître la consécration de son ami de quarante ans.

---

1. La plupart, écrits pour *L'Unité*, journal du PS, seront réunis dans *La Paille et le Grain*, Flammarion, 1981.
2. Ou plutôt après le « tunnel » de l'Observatoire, au début des années 60.

10

Cérémonies

Le 21 mai, François Mitterrand devient officiellement président de la République et s'installe à l'Élysée.

André Rousselet
Nous étions une quinzaine, là, dans le hall d'entrée de l'Élysée. Lui, venait de raccompagner Giscard d'Estaing sur le perron ; il revient dans le hall d'entrée avec Pierre Bérégovoy et tout à coup il me voit, m'appelle. Je ne me souviens plus de ce que j'ai pensé. J'étais assez ému d'être distingué au point d'être retenu parmi la masse des collaborateurs qui étaient là pour l'accompagner dans la salle des fêtes.
La veille, il m'avait demandé quel était mon souhait : « Ministre ? » Je lui avais répondu non. Ce que j'aimerais bien, c'est d'être une espèce de conseiller où je pourrais essayer de tenir un peu la place qu'occupait Georges Dayan. « Vous voudriez être Pierre Juillet [1], c'est-à-dire conseiller ? » Alors je lui dis : « Je préférerais tant qu'à faire, plutôt que d'être conseiller, être directeur de cabinet. Parce que directeur de cabinet il ne peut pas y en avoir plusieurs, tandis que conseillers, il ne va pas tarder à y avoir foule... »

---

1. Éminence grise de Georges Pompidou.

117

Après la passation de pouvoir entre Valéry Giscard d'Estaing et François Mitterrand, le président du Conseil constitutionnel proclame les résultats. Puis le nouveau président prend la parole : « La majorité politique des Français vient de s'identifier à sa majorité sociale... »

François Mitterrand fait ensuite le tour de la salle pour saluer ses invités. A Pierre Mendès France, il murmure : « Sans vous, tout cela n'aurait pas été possible. »

Claude Estier
J'étais à côté de Mendès France (la photo est là encore dans mon bureau). Je l'ai vu pleurer, effectivement, quand Mitterrand est arrivé vers lui et l'a embrassé en lui disant : « Sans vous, tout cela n'aurait pas été possible. » Et Mendès France qui était mal en point déjà physiquement était extrêmement ému. La rencontre de ces deux hommes à ce moment précis, dont j'étais vraiment témoin immédiat, c'était quelque chose de très émouvant, parce que c'était effectivement l'aboutissement d'un combat qu'ils avaient mené côte à côte, si ce n'est tout à fait ensemble, mais tout de même côte à côte pendant des années et des années [1].

Dans l'après-midi, l'équipe des conseillers prend possession des lieux.

Hubert Védrine
C'était euphorique, ces journées ! L'après-midi du 21 mai, après le grand déjeuner de l'entrée en fonction de François Mitterrand, où nous étions peu nom-

---

1. Quand on rappelait à PMF les contradictions qui s'étaient produites entre Mitterrand et lui, il coupait court : « Nous nous sommes toujours trouvés, dans les moments difficiles, du même côté de la barricade... »

breux, le vide des bureaux s'est rapidement comblé – Régis Debray et moi avons erré dans quelques couloirs déserts en demandant aux huissiers comment les choses se passaient. « Et de quoi vous vous occupez ? », nous demandent-ils. On croit avoir compris que ça aurait un rapport avec l'International. Les huissiers se concertent et répondent : « Ce doit être la "cellule diplomatique", à ce moment-là, c'est à tel endroit. » Ils nous indiquent la direction de la cellule diplomatique. On y va, on trouve deux secrétaires, deux personnes très compétentes, là depuis très longtemps, depuis la dernière année du général de Gaulle et qui nous le disent sur un ton circonspect quand même. A l'époque, c'était une alternance comme il n'y en avait pas eue. Il y avait beaucoup d'incertitude sur la façon dont ça se passerait et, dans leur esprit, sur la façon dont les gens seraient traités. Elles nous disaient : « Alors voilà, là c'est le bureau du Conseil diplomatique, là c'est le bureau de tel ou tel. » Et on s'est installés [1] !

En fin de matinée, ce 21 mai, le nouveau président de la République est allé naturellement déposer une gerbe sous l'Arc de Triomphe. Flanqué de son Premier ministre qui est Pierre Mauroy. Et tandis qu'il remonte la plus belle avenue du monde, il pense au chemin parcouru, aux obstacles surmontés, au destin enfin accompli, aux risques à courir.

Dans l'après-midi du 21 mai, rue Soufflot, c'est la marche triomphale vers le Panthéon, mise en scène (trop bien ?) par Jack Lang et Serge Moati. Les vivats montent vers lui, qui les savoure sans retenue. Autour de lui, derrière lui, les amis, les fidèles, de

---

1. Régis Debray était en charge du « Tiers monde », Hubert Védrine conseiller diplomatique.

toutes les générations : Dumas, Pelat, Rousselet, mais aussi Willy Brandt ou Mario Soarès, les « camarades » étrangers.

Roland Dumas

Tout tournait dans tous les sens. Ce qui était le plus impressionnant rue Soufflot, c'était le bruit. Je garde encore aujourd'hui, presque vingt ans après, dans mes oreilles, la rumeur qui montait du boulevard Saint-Michel et des rues avoisinantes. Nous étions partis de l'Hôtel de Ville avec Mitterrand, qui m'avait fait monter dans sa voiture, à côté de lui. Il avait été reçu officiellement à l'Hôtel de Ville de Paris. Nous étions tous les trois. Je ne me souviens plus de la troisième personne. Nous avons remonté le boulevard Saint-Michel noir de monde, au pas. Les balcons affichaient complet, partout des gens hurlaient, saluaient, criaient. Une vraie folie ! La voiture présidentielle s'est immobilisée au bas de la rue Soufflot. Il faisait très chaud. L'orage éclaterait plus tard. Nous sommes sortis de voiture. A ce moment-là, j'eus l'impression qu'on ouvrait un four de boulanger surchauffé. J'ai été pris à la gorge, la tête, à la fois par la chaleur et par les cris ; par la chaleur des gens, la chaleur de l'atmosphère. Je n'ai jamais entendu un bruit de foule pareil. Et je n'ai jamais vu un enthousiasme pareil.

Pierre Joxe

J'étais rue Soufflot... Sur le côté, car je n'étais pas pour ce genre de chose. Je trouvais qu'aller dans un tombeau fêter cette victoire populaire, c'était une idée baroque. C'est vrai que les images que l'on a données à la télévision étaient assez curieuses, mais c'était une idée tout à fait bizarre et inappropriée.

Roland Dumas
Après la remontée de la rue Soufflot, les cérémonies à l'intérieur du Panthéon, *La Marseillaise* chantée par Placido Domingo que j'avais fait venir de Berlin, Mitterrand me fit de nouveau un signe, pour que je le rejoigne dans la voiture. Il ajouta : « Dites à Mauroy de venir. » Nous sommes remontés en force tous les trois à l'arrière, serrés dans le véhicule : Mauroy, déjà volumineux, occupait une bonne partie de la place. Puis nous sommes partis du Panthéon. Nous avancions millimètre par millimètre. Un brave Africain était couché en travers du capot, il tapait sur la glace. Mitterrand répétait au chauffeur : « Surtout, faites attention, n'écrasez personne. » D'un seul coup, d'un seul geste, l'Africain a attrapé le drapeau, le fanion du président de la République, l'a arraché, puis il s'est sauvé pour le garder en souvenir. J'imagine qu'il le conserve encore aujourd'hui. Mitterrand était calme, presque impassible. Il a dit à Mauroy : « Vous convoquerez dès demain le directeur de la Banque de France et laissez-leur la responsabilité de leur politique jusqu'au dernier moment. » Je rappelle qu'il s'agissait de résister à la campagne contre le franc.
J'étais stupéfait de mesurer que, malgré l'enthousiasme, malgré *La Marseillaise*, malgré la pluie, malgré les cris, malgré les hourras, Mitterrand était déjà dans son rôle présidentiel.

11

Le socialisme à l'estomac

Pierre Mauroy, homme du Nord et d'organisation, forme le premier gouvernement du septennat, à ossature socialiste. Mais il est surtout chargé de mener la campagne en vue des élections législatives pour donner au président une large majorité à l'Assemblée nationale. Le succès dépasse les espérances. C'est une chambre « rose horizon [1] » qui se retrouve en juin 1981, éberluée par ce triomphe. Mauroy forme son deuxième gouvernement où entrent quatre communistes.

Jack Ralite
J'étais dans le bureau d'un camarade, place du Colonel-Fabien. Une membre du bureau politique est venue me dire : « Je crois que tu vas être parmi les quatre ministres. » Ça vous fait drôle dans le corps ! Pas seulement dans le corps, mais d'abord dans le corps. Alors je suis allé à l'étage du bureau politique et je me suis assis dans le petit bureau à côté de celui de Georges Marchais. J'ai attendu. Marchais est sorti : « Bonjour, monsieur le ministre de la Santé. » Je me suis mis à rire. Mais presque sardoniquement. Je ne pouvais plus m'empêcher de rire. C'est que ce n'est pas commun ce qui vous arrive là. Vous devenez

---

1. On appela la chambre « bleu horizon » celle qui fut élue en 1919 sur le thème de la victoire.

ministre. Vous vous rendez compte! Le jour du premier Conseil, nous sommes arrivés en voiture tous les quatre : Fiterman, Rigout, Anicet Le Pors et moi. Mais enfin on a monté les marches.
Ne m'en parlez pas trop, j'aurais les larmes aux yeux. C'est quelque chose d'extraordinaire. Parce que, d'abord, on se dit : «Est-ce que je serai capable?» Et ensuite, on pense à toute l'histoire. C'est-à-dire à tout ce qu'on a espéré. On se dit : «Enfin il y a quelque chose qui arrive.» Quand on milite depuis très longtemps, alors une espèce d'immense responsabilité vous atteint en profondeur.

Afin de relancer l'économie française rongée par une inflation à 14% – qui paraît alors inéluctable –, François Mitterrand veut doper la consommation populaire. En augmentant le SMIC, les salaires, les prestations sociales, le président poursuit, certes, un objectif social, mais aussi politique : il s'agit de tenir les promesses de la campagne, mais aussi de faire redémarrer une production anémiée par deux chocs pétroliers. Ces mesures sociales, les nationalisations et la décentralisation sont pour François Mitterrand le triple socle du changement, l'ossature d'un socialisme que l'on dit alors, non sans jactance, «à la française».

Jacques Delors
Quand il a été élu, il m'a reçu et m'a demandé ce que je voulais faire. Je lui ai dit : «Je souhaiterais être commissaire général au Plan (puisque je croyais, je crois encore, à cette institution) et, si ce n'était pas trop demander, secrétaire général de l'Élysée.» Il m'a dit : «Non, non, vous serez ministre, mais comme vous avez déjà fait beaucoup de social, que vous êtes réputé pour cela, y compris votre passage chez

Chaban, alors vous serez ministre de l'Économie et des Finances. »

Je savais qu'il voudrait respecter ses promesses. C'est vraiment l'homme politique démocratique par excellence. Il a promis, il veut réaliser. Il ne veut pas, comme il le disait, que les électeurs en général et le peuple de gauche soient déçus. Donc mon travail à moi, qui connaissais la fragilité de l'économie française, son caractère inflationniste permanent (une sorte de gangrène, 14 % de hausse des prix), était d'essayer de combiner la réalisation de ses promesses avec un maintien ou un retour à une stabilité monétaire et financière de l'économie française.

On m'a fait confiance pour être ministre de l'Économie et des Finances. Mais on m'a flanqué un ministre du Budget qui avait une large autonomie, Laurent Fabius, ce qui m'a causé beaucoup de problèmes. Je dois le dire, même si j'en parle aujourd'hui avec détachement et sans rancune. Mais enfin mes marges de manœuvre étaient limitées, c'est ce qui explique qu'en novembre 1981 je me suis dit qu'il fallait prendre l'opinion publique à partie pour qu'elle juge. J'ai alors prononcé cette fameuse phrase : « Il faut faire une pause dans l'annonce des réformes », parce que je n'en sortais pas à l'intérieur du gouvernement. J'étais battu lors des arbitrages ; toujours l'idée d'aller plus loin. Il importait donc de jeter un cri d'alarme et que l'opinion publique devienne un élément du débat.

Laurent Fabius

La gauche n'avait pas gouverné depuis des décennies. Il était impossible que la gauche, avec ce qu'elle portait d'espoir immense, accède aux responsabilités avec un programme qui ne se traduirait pas par des avan-

124

cées sociales. Le programme était un peu le fils de la situation politique telle qu'elle existait alors en France.

Jean-Louis Bianco
On avait promis un certain nombre de choses, il fallait donc les tenir par rapport à des gens qui se sentaient exclus de la société, les milieux populaires. La retraite à 60 ans, l'augmentation du SMIG, l'augmentation des retraites, des allocations familiales : il l'a fait avant tout pour des raisons politiques, évidemment. Par rapport à une partie de la société qui ne se reconnaissait plus dans ses gouvernants. Et pour des raisons économiques aussi, mais ça c'était plutôt son entourage, c'était plutôt ses ministres, ses collaborateurs, parce qu'il ne faut jamais oublier qu'en 1981, quand vous relisez les pronostics de tous les gens de l'époque, on allait vers une phase de croissance et d'expansion. Et donc la relance française s'inscrivait dans un contexte qui devait être favorable. Manque de chance, ça ne s'est une fois de plus pas passé comme les experts l'ont dit, il n'y a pas eu, pour différentes raisons, mais peu importe, la croissance qu'on attendait, elle s'est trouvée en porte à faux. Mais il y avait aussi une logique économique à faire une relance à côté de la logique politique qui était d'abord celle de François Mitterrand.

Philippe Séguin
Quel qu'ait été le gouvernement, je pense que l'expérience de relance par la consommation aurait été tentée. Quitte à connaître l'échec, ce qui (compte tenu des circonstances économiques de l'époque) n'a pas manqué. On sortait de la politique de M. Barre, qui avait été très critiquée, et pour cause, aussi bien à

gauche qu'à droite. Tout gouvernement de rechange, quelle qu'ait été son inspiration, aurait au moins tenté l'expérience de la relance par la consommation.

Laurent Fabius
On ne peut pas soutenir deux choses contradictoires. Or, souvent, on les soutient. J'entends certains dire : « Socialement, bien sûr, il y avait des avancées réalisées, mais économiquement, elles n'étaient pas possibles. » Non : si vous décidez d'augmenter l'allocation vieillesse, l'allocation handicapés, le SMIC, cela comporte des conséquences économiques. On ne peut pas séparer d'un côté les avancées sociales et, de l'autre, leurs conséquences économiques. Ce qui est vrai aussi, c'est que nous nous situions alors dans une logique finalement encore assez marquée par le marxisme, en tout cas sa vulgate : nationalisation, planification, distribution. Ces concepts n'étaient pas en phase avec ce qu'était le développement économique à cette période et ultérieurement.
Je vais vous raconter une anecdote significative. J'ai été nommé ministre du Budget en 1981. La direction du Budget, qui prépare les arbitrages financiers de l'État, m'avait établi un dossier, très gros, très bien fait d'ailleurs, sur l'état des finances publiques et sur le programme du Parti socialiste. Peut-être y avait-il une relation inverse au fur et à mesure qu'on montait dans la hiérarchie. Je me rappelle ce dossier : c'était la perception qu'on avait du programme socialiste en 1981 du côté de l'administration des finances. Étaient empilées plusieurs chemises en carton : la première chemise portait en titre « Principales menaces à éviter ». J'ouvre, et le titre de la première sous-chemise, en grosses lettres : « Menace n° 1 : augmentation de

126

l'allocation aux handicapés ». Parce que figurait dans
le programme du Parti socialiste la proposition d'augmenter l'allocation qu'on donnait aux handicapés.
Voilà la menace numéro un pour l'économie française ! C'est vrai, beaucoup de choses auraient pu être
menées d'une façon différente. Mais il y avait une
générosité sociale profonde.

Paul Quilès
Il y eut plusieurs périodes. D'abord, la période de
l'enthousiasme un peu naïf de ceux qui arrivent au
pouvoir, qui n'y ont jamais été, qui ont un programme
pour « changer la vie » et qui voudraient que la vie
change très vite, pensant de façon très sincère que
c'est réalisable. Et il y a eu, immédiatement après,
dans les mois qui ont suivi, un affrontement larvé
entre ceux qui rêvaient encore de cela, qu'ils pensaient
possible, et ceux qui, se retrouvant aux commandes,
voyaient l'inertie, les blocages, les contraintes. Cet
affrontement, assez pénible, s'est manifesté soit dans
les ministères, soit au sein du Parti socialiste, soit
dans l'opinion publique. La première phase a dû
durer, me semble-t-il, entre six mois et un an.
Un certain nombre de mesures qui ont été prises au
début – celles concernant l'âge de la retraite, le SMIC,
le niveau des salaires – étaient indispensables du point
de vue politique. Si elles n'avaient pas été prises tout
de suite, la déception, qui était déjà sensible au bout
de quelques mois, aurait été insupportable et aurait pu
avoir des conséquences politiques désastreuses. Donc,
c'était indispensable parce que cela correspondait
à cette sorte de rupture intervenue en mai 1981. Évidemment, toutes ces mesures ont eu des conséquences
par la suite... Il y a probablement eu aussi des mal-

adresses de gestion qui ont rendu inévitable le virage ultérieur.

A l'époque, j'étais très partagé et ennuyé parce que je sentais bien, par ma formation, que ce virage devait être pris, mais je voyais aussi, du fait de mes responsabilités politiques, qu'il était difficile à expliquer.

Jacques Delors
Il y avait de la part des économistes qui soutenaient cette marche en avant un raisonnement qui pouvait se tenir, c'est que l'économie française était dans un état de stagnation, la croissance était faible et que, par conséquent, l'augmentation des revenus permettrait un soutien de la demande intérieure. Malheureusement, les entreprises étaient dans un état psychologique tel qu'elles n'ont pas saisi cette opportunité. Et moi-même j'ai été surpris du peu de réaction de l'appareil de production française à cette relance. Les entreprises étaient traumatisées par la venue de la gauche au pouvoir. Si bien que ce qui s'est passé, c'est que nous avons acheté à l'étranger de plus en plus pour satisfaire la demande croissante des consommateurs français.

Jack Ralite
En vérité, nous avons été confrontés à des questions nouvelles que eux et nous ne supposions pas. Toutes les augmentations de salaire, tout le mieux s'est traduit par une consommation accélérée. Mais l'industrie française n'était pas prête, parce qu'elle était restée d'un archaïsme fou. Alors, beaucoup est venu de l'étranger. On dit toujours : « Vous achetez plus, donc ça profite à l'industrie. » En vérité, cela profitait à une industrie extérieure et continuait d'amoindrir l'industrie d'ici. Il

y avait donc une vraie question, que Delors d'ailleurs a expliquée plusieurs fois. Mais comment la régler? On marchait, et eux et nous, avec une canne blanche. Enfin, la nôtre était plutôt rouge, parce qu'on était sûrs qu'on avait raison et on répétait le programme commun. Eux, ils marchaient un peu à tâtons.

En vérité, ces deux forces-là arrivaient avec un programme pour 1980, qui avait été pensé en 1970 avec des outils de 1960. Vingt ans avant. Toutes les mutations n'étaient, comme on dit, pas impliquées dans le programme commun, dans la façon de faire. Il y en a qui disent, à propos du tournant 1982-1983, que c'était du cynisme. Je ne le crois pas. On cherchait! Nous, on cherchait à « tenir » et eux cherchaient sans être bien préparés.

Laurent Fabius

Ce qui date aujourd'hui, à la lumière rétrospective du temps, c'est la conception même de notre programme. Nous présentions à l'époque, je crois, cent dix propositions. Notre conception implicite, c'était que, si nous réalisions ces cent dix propositions, un peu comme on coche les cases de Loto, quand nous aurions coché toutes les cases, nous obtiendrions le bingo. La politique, en fait, ce n'est pas cela. Certes, il est essentiel de remplir les engagements qu'on a pris, mais surtout, il faut que les électeurs, et tout le pays, se trouvent en meilleure situation à la fin de la législature qu'au début. Cette notion même de programme a profondément évolué. Avec le temps, on se rend compte qu'il s'agit plutôt de posséder et de présenter une grille d'analyse précise, un certain nombre de valeurs. Et puis, sur certains points, de donner les axes essentiels, avec quelques mesures. Pour autant, on ne peut pas réduire une réalité économique et sociale à un catalogue de propositions. C'est surtout cela qui, avec le recul, apparaît daté.

Dès l'automne 1981, les nuages s'amoncellent. En octobre, il faut dans l'urgence solder le passif, effectuer la dévaluation que Mitterrand a refusé de faire en juin. La relance par la consommation gonfle le budget et creuse le déficit. L'état de grâce n'a duré que six mois. Pour François Mitterrand, se plier aux impératifs des marchés, c'est déjà une forme de renoncement.

Élisabeth Guigou
François Mitterrand pensait que ce n'était pas l'économie qui menait le monde, voilà. Moi, je me souviens de l'avoir entendu dire ça à Margaret Thatcher. Il pensait que c'était vraiment la politique qui menait le monde. Pour lui, l'économie, c'était quelque chose de subalterne. Il fallait que ça suive...

Laurent Fabius
La volonté est essentielle. C'est l'élément essentiel chez Mitterrand. Si on me demande le credo fondamental de Mitterrand, je dirai : « Ce sont les hommes qui font l'histoire et la volonté peut tout surmonter. » Avec un côté extraordinairement positif. Et pourtant, reconnaissons que, lorsque vous êtes en face du mur, la volonté elle-même ne peut pas renverser le mur. Donc la volonté constitue un atout ; le volontarisme, c'est autre chose. Il tend à présenter la situation différente de ce qu'elle est. Les phases de cette période de gouvernement, on pourrait aussi les lire de cette façon. La volonté a toujours été présente. Le volontarisme, lui, a parfois dû céder devant le réalisme.

Pierre Joxe
J'ai vécu cette période comme tout le monde, c'est-à-dire comme tous ceux qui se sont trompés, à droite comme à gauche, lorsqu'on fait des politiques où la distribution de pouvoir d'achat est trop forte, ce qui provoque une augmentation de la dette intérieure, ce qui provoque une augmentation des importations, ce qui provoque des difficultés monétaires. Ce mécanisme-là, on ne l'a pas vu venir ; puis quand il est arrivé on a fait face. C'est quelque chose qui est assez banal. Évidemment, on aurait pu le voir venir, c'est vrai...

Versailles, juin 1982. Deux siècles après la Révolution, le président socialiste reçoit les chefs des six autres puissances les plus riches du monde sous les plafonds du Roi Soleil. C'est là, dans le faste versaillais, que le Premier ministre vient arracher l'accord présidentiel pour les mesures de rigueur. Deuxième dévaluation, blocage des prix et des salaires. La potion est amère pour les socialistes – et les Français... François Mitterrand, poussé par Delors et Mauroy, doit changer de cap, contraint et forcé.

Jacques Delors
Par tempérament, j'aime garder une distance vis-à-vis des chefs. Et donc, je n'étais pas dans un des cercles d'amis plus ou moins proches de Mitterrand. J'étais un ministre qui parlait au président de la République, avec respect mais aussi avec une certaine distance. Et lui répondait de la même manière. Si bien que, si je l'agaçais, ça ne se voyait pas sur son visage, et s'il était d'accord il ne le disait pas tout de suite. J'envoyais des notes à l'Élysée ; chaque fois que je le voyais, je lui en parlais et je sentais quand même que j'agaçais. Il y a

131

eu à Versailles le sommet des pays industrialisés, c'était la France qui présidait, tout ça c'était des moments de gloire ou des grands moments pour les personnages qui les vivaient. Quant à moi, je les ai vécus autrement, la tête pleine de soucis pour notre avenir économique et social. On a pu dire de moi que j'étais un empêcheur de tourner en rond.

Et donc il a fallu attendre la fin du G7, du sommet des pays industrialisés, pour faire accepter le premier plan de rigueur, auquel on avait travaillé avec Pierre Mauroy, en complète symbiose. Personne n'a oublié que nous avons obtenu la suppression de l'indexation des salaires sans une grève.

Je pense qu'il a quand même été frappé par cette sorte de cohésion sans faille entre le Premier ministre, Pierre Mauroy, et moi-même. Cohésion réchauffée et entretenue par une amitié et une confiance réciproques. Mais malgré ce plan de stabilisation de juin 1982, l'économie française souffrait de deux maux : elle achetait trop pour ce qu'elle vendait à l'étranger, ce qui nous rendait dépendants et freinait toutes les ambitions de François Mitterrand en matière de politique étrangère ou de politique européenne. En second lieu, la circulation monétaire était trop importante et pesait sur les prix. Par conséquent, nous n'avions fait qu'une étape. Il fallait en franchir une autre, d'autant plus que notre crédibilité à l'étranger n'était pas encore acquise. Vous voyez combien les marchés sont capricieux, dominés par une pensée unique qui se trompe pourtant souvent. Eh bien, c'était déjà le cas à l'époque, même si certains ne s'en rendaient pas compte. La mondialisation, elle, existait déjà en 1982-1983.

Jean-Louis Bianco
Mitterrand réalise, sous la pression notamment de Pierre Mauroy et de Jacques Delors (il est très important de voir le rôle que Pierre Mauroy a joué là-dedans parce qu'on pense toujours seulement à Jacques Delors), que l'environnement international est ce qu'il est, que les rapports de force internationaux sont ce qu'ils sont et qu'on ne peut pas mener tout seul une politique qui va à contre-courant des autres. C'est en gros ça, le tournant de la rigueur, c'est-à-dire : on est obligés de serrer les boulons parce que, même s'il y a une certaine logique à dire « on relance la demande, on relance la consommation parce que ça va permettre de faire repartir l'économie, dans un environnement de compétition et d'économie ouverte », si l'on est tout seul à le faire, ça ne marche pas.

La rigueur, il l'a subie. Il s'y est rallié je dirais en maugréant. Moi, je n'y étais pas impliqué, puisque j'arrive en juillet 1982 (on est en train de prendre ce tournant, ce qui était d'ailleurs conforme à ma position personnelle, mais à l'époque je n'avais pas le poids suffisant pour la faire valoir). Il s'y est rallié en maugréant, mais parce qu'il était un réaliste, évidemment, contrairement à ce qu'on croit, y compris en économie, il avait parfaitement compris que ça ne pouvait pas marcher autrement.

12

Le grand tournant

En mars 1983, à l'occasion des élections municipales, la gauche affronte pour la première fois la sanction populaire de sa gestion. C'est un sérieux revers pour le pouvoir qui perd trente villes de plus de 30 000 habitants.

L'heure est venue pour François Mitterrand de prendre de graves décisions politiques, économiques et monétaires. Des voix s'élèvent contre Pierre Mauroy, dont on dit le gouvernement usé. Le franc est attaqué, les partenaires européens exigent un nouvel ajustement de notre monnaie. Faut-il se plier à ces exigences ? Ou au contraire quitter le SME [1], faire cavalier seul dans une chevauchée héroïque et solitaire, comme le préconisent un certain nombre de proches, les « visiteurs du soir [2] », dont le plus influent est l'ami intime du président, l'industriel Jean Riboud. Pendant dix jours, Mitterrand semble osciller entre les deux orientations.

Jean-Louis Bianco
Il y avait un double enjeu : le plus visible était de savoir si l'on restait ou non dans le système monétaire européen. Il faut quand même se rappeler que depuis

---

1. Serpent monétaire européen. Le système de coordination des monnaies de la Communauté.
2. Autour de Riboud s'activaient sous ce vocable Jean-Pierre Chevènement, Jean-Jacques Servan-Schreiber et, sur un autre ton, Pierre Bérégovoy.

des années on était en dévaluation. On a du mal à l'imaginer, car aujourd'hui on a un franc fort, une inflation faible. Il ne faut jamais oublier non plus qu'on a quand même démarré en 1981 à 14 % d'inflation. Et qu'une des victoires de la gauche, de Jacques Delors, de Pierre Mauroy, de François Mitterrand, c'est de l'avoir très vite divisée par deux. Ce qui prouve que la gestion n'était pas si nulle et si laxiste que certains – dont l'actuel président de la République – le disaient en 1981.

La question se pose : doit-on rester ou non dans le système monétaire européen ? Rester, cela veut dire renoncer évidemment à toute une série de choses qu'on souhaite faire mais auxquelles on a déjà en partie renoncé par une politique budgétaire moins expansionniste, par la rigueur, par une certaine modération salariale. En sortir, cela veut dire en fait qu'on renonce à l'Europe, et c'est bien l'analyse que François Mitterrand a faite à mon avis assez vite.

Au-delà de cette option, il y avait un enjeu plus subtil qui était : faut-il garder Pierre Mauroy ou pas ? Sinon, faut-il nommer Jacques Delors ou Pierre Bérégovoy Premier ministre ?

Élisabeth Guigou
Comment la France peut-elle se développer sans être entravée par les contraintes de la balance des paiements ? Comment la France peut-elle faire ça ? En faisant abstraction des pays voisins ? En mettant des barrières protectionnistes ? Ceux qui préconisaient cette politique protectionniste, nous les appelions des Albanais [1]. Et nous disions : ce n'est pas concevable,

---

1. Qui s'isolaient de leur camp, le communisme.

135

la France est un grand pays, on exporte conjoncturel-
lement moins qu'on importe, mais enfin, on vit de nos
exportations, on a des pans entiers de notre économie
qui exportent.

Jacques Delors
Pierre Mauroy et moi savions qu'il y avait les « visiteurs
du soir », comme il les appelait, ceux qui préconisaient
une autre politique ou plutôt d'autres politiques, car on
ne peut pas dire que ce que suggéraient les uns correspondait exactement à ce que proposaient les autres.
Nous avions le sentiment de vivre un match. Et non pas
de dire : soyons tranquilles, de toute façon le président a
déjà en tête ce qu'il veut faire, il restera dans le système
monétaire européen en raison de ses ambitions européennes... Non, nous, nous avons vécu ça comme un
match, comme une bataille intellectuelle et politique.

Élisabeth Guigou
Quand je suis arrivée à l'Élysée, la première note que
j'ai faite à François Mitterrand concernait la situation
de la balance des paiements. Je venais de chez Delors,
où je suivais ça. Je lui ai dit : « Si l'on continue comme
ça, on va être traités comme le dernier des pays en
voie de développement. Parce qu'on n'aura plus un
sou de réserve extérieure, plus personne ne voudra
nous prêter, et on sera obligés de passer sous les
fourches caudines du Fonds monétaire international,
comme le dernier pays sous-développé. » Nous étions
acculés, parce qu'on s'était tous trompés, à la fin des
années 70, sur la reprise économique.
Je crois que François Mitterrand a vraiment hésité. Il a
hésité parce que, pour lui, l'idée que ce soit la finance
qui domine était insupportable. Voilà. La finance qui

La maison natale de François Mitterrand à Jarnac.

DÉSIGNATION DE				NOMS ET PRÉNOMS	ADRESSE	INSCRIPTION		
la Nationalité	l'année du Permis	la Naissance	l'année d'Entrée			Ensemble	À TERME	
							1er	2e
	I	1916	I	MITTERRAND François	104, rue Vaugirard, 6e	194a		
ira-nien	I	1900	I	MOAREFI Ali	40, av. la Bourdonnais	186Sp. E. de G.		

Le registre du « 104 ».

François Mitterrand au « 104 » (2ᵉ rang, 3ᵉ à partir de la droite). Photo inédite.

Jacques Bénet. Il a connu
François Mitterrand en 1934
au « 104 » rue de Vaugirard. Il
le retrouve dans la Résistance.

rencontre soit une proie - où je pourrai
faire à ma volonté mes incursions.
Comment Dieu a-t-il pu créer le
monde sans que je sois à l'origine?

Cela ne veut pas dire que je ne
puis me fixer : ce besoin de
connaître est surtout intellectuel, et,
si je m'attache rarement de façon totale,
c'est avec les griffes plantées, inébranlables -

Lettre de François Mitterrand à sa cousine
Marie-Claire Sarrazin. 14 janvier 1938.

je me suis débarrassé des fioritures,
en apprenant - ou plutôt en me confirmant
dans cette idée - que pour vivre sans
entraves il faut mépriser considérablement son voisin - Est-ce de l'orgueil ?
est-ce une vue réelle d'un état de fait ?
je considère tout autre - ou à peu près -
que moi-même, en me baissant un peu.
Or, je ne puis m'attacher qu'à ce qui
m'élève - ce qui signifie que je ne puis
m'attacher qu'à peu de choses -

Lettre de François Mitterrand à sa cousine Marie-Claire Sarrazin. Février 1938.

François Mitterrand avec
Marie-Louise Terrasse
(la future Catherine Langeais)
au jardin du Luxembourg en 1937.
Photo inédite.

François Mitterrand au service
militaire avec, à côté de lui,
Georges Dayan,
l'ami d'une vie. 1939.

SECRÉTARIAT GÉNÉRAL

DES

ANCIENS COMBATTANTS

_____

... dans la volonté et l'exercice de la puissance je trouverai le goût du risque, Mais je ne voudrais pas être inutile en vain.

- Oui, j'ai vu une fois le Maréchal - Au théâtre - j'étais assis juste devant sa loge et ai pu le considérer de près et confortablement. Il est magnifique d'allure. Son visage est celui d'une statue de marbre -

Lettre de François Mitterrand à sa cousine Marie-Claire Sarrazin. 13 mars 1942.

Je me suis composé une vie bourrée d'occupations. De toutes sortes - En premier lieu je suis évidemment passionné par la vie politique. Comment arriverons nous à remettre la France sur pied? Pour moi je ne crois qu'à ceci : la réunion d'hommes unis par la même foi, c'est l'erreur de la légion que d'avoir reçu des masses dont le seul lien était du hasard : le fait d'avoir combattu ne crée pas une solidarité - Je comprends davantage les S.O.L. soigneusement choisis, et qu'un serment fondé sur les mêmes convictions du cœur lie. Il faudrait qu'en France on puisse organiser des milices qui nous permettraient d'attendre la fin de la lutte germano-russe sans crainte de ses conséquences - Que l'Allemagne ou la Russie l'emporte si nous sommes forts de volonté on nous ménagera. C'est pourquoi je ne participe pas à cette inquiétude née du changement de gouvernement. Laval est sûrement décidé à nous tirer d'affaire. Sa méthode nous paraît mauvaise? Savons-nous vraiment ce qu'elle est? Si elle nous permet de durer, elle sera bonne -

Lettre de François Mitterrand à sa cousine Marie-Claire Sarrazin. 22 avril 1942.

François Mitterrand (2ᵉ rang) au commissariat aux Prisonniers.
Pinot est le deuxième à partir de la gauche au 1ᵉʳ rang.

1944. Libération de Paris. De gauche à droite, Philippe Dechartre, Henri Frenay, François Mitterrand, Patrice Pelat.

François et Danielle Mitterrand. 1947.

1954. Ministre de l'Intérieur. Derrière François Mitterrand, André Rousselet et Georges Dayan, membres de son cabinet.

Aux côtés de Pierre Mendès France. 1954.

Chasseur d'Afrique.

Festival de Cannes 1956. Et « Dieu regarde la femme ».

1958. Vingt-trois ans d'opposition l'attendent.

Sortant du Sénat, François Mitterrand et le déjà fidèle Roland Dumas. 1959.

1967. François Mitterrand fait entrer ses amis au Palais-Bourbon : de gauche à droite, Roland Dumas, André Rousselet, Louis Mermaz, Georges Dayan, Claude Estier, Georges Fillioud.

Entre Pierre Mauroy et Gilles Martinet (à droite). 1971.

1973. Un visiteur à Latche : René Bousquet.

1973. Déjeuner à Latche. A gauche, René Bousquet, puis Jean-Paul Martin, membre du cabinet de Bousquet à Vichy, chef du cabinet de François Mitterrand en 1954.

1979. Congrès de Metz. Affrontement au sommet entre François Mitterrand et Michel Rocard.

1981. Voyage au Mexique. François Mitterrand et « ses » hommes : Christian Sautter, André Rousselet, Jacques Attali, Régis Debray, Hubert Védrine.

Avec Élisabeth Guigou et Jacques Attali. 1989.

François de Grossouvre dans
le sillage du maître. 1982.

Le docteur Gubler, chargé par François Mitterrand de couvrir le secret médical par des bulletins de santé anodins.1982.

Le capitaine Prouteau (à droite) veille sur la sécurité du président. 1982.

Mazarine et son père.
1981. Photo inédite.

Mazarine et son père.
1995. Photo inédite.

domine les forces productives, comment? pourquoi? au nom de quoi? Après tout, ce qui compte, c'est la richesse produite par la collectivité. Il a donc fallu lui montrer que si l'on choisissait l'autre voie, en réalité on allait encore s'appauvrir. Par exemple : si l'on sortait du système monétaire européen, il ne fallait pas s'imaginer que les taux d'intérêt qui étaient très hauts à l'époque, qui bridaient l'investissement, allaient du jour au lendemain être abaissés, comme le prétendaient ceux qui préconisaient cette solution. Pourquoi? Parce qu'on n'aurait jamais accepté que, flottant sur un marché, le franc tombe comme une pierre. Politiquement et économiquement, ç'aurait été insupportable. Donc on aurait maintenu des taux d'intérêt élevés, donc on aurait été perdants de toute façon sur tous les tableaux. On aurait sacrifié notre engagement européen. Or, cela lui tenait énormément à cœur. C'est un argument qui a été décisif, évidemment. Mais, en plus, on lui démontrait qu'on ne serait pas mieux lotis au bout du compte, et que la voie solitaire, finalement, était pire que celle qui nous maintenait dans l'Europe, qui nous faisait faire évidemment des sacrifices importants, mais qui nous permettait, au bout du compte, de nous en sortir mieux parce que nous pouvions compter sur la solidarité européenne.

Jean-Louis Bianco
Je lui ai fait une note qui résumait un peu de manière brutale ma conviction : « Sortir du SME nous mettrait au FMI[1]. » C'était une manière brutale, mais je crois

---

1. C'est-à-dire sous le contrôle du Fonds monétaire international, « correctionnelle » des pays pauvres.

MITTERRAND – LE ROMAN DU POUVOIR

que ce langage-là il l'a compris. C'est-à-dire qu'il a compris que, si l'on sortait du SME, il faudrait encore plus de rigueur. Et, de plus, on perdrait la construction européenne à laquelle il était si attaché.

Laurent Fabius
Plusieurs positions étaient argumentées, résumées dans cette question : « Faut-il rester à l'intérieur du système monétaire européen ou en sortir ? » Un certain nombre de responsables soutenaient que nous devions absolument nous montrer plus orthodoxes, sinon nous allions nous casser la figure. D'autres prétendaient au contraire que, non, nous devions posséder des marges de manœuvre renforcées pour appliquer notre politique. Et pour avoir ces marges de manœuvre, ils soutenaient que nous devions sortir du système monétaire européen, même à titre provisoire, et que cela nous permettrait de mener une politique plus expansionniste. Il se trouve que moi, je me trouvais au milieu, en tout cas sans *a priori*.
Un soir, Mitterrand nous réunit à quelques-uns – à l'époque, j'étais ministre du Budget, Jacques Delors était ministre de l'Économie – et il me dit : « Supposons que vous soyez ministre de l'Économie, quelles décisions me proposeriez-vous ? », ajoutant en direction de Jacques Delors, qui avait beaucoup de mérite à l'accepter : « J'ai demandé à Laurent Fabius de mener une réflexion, ayez la gentillesse de lui faciliter la tâche. » Je reviens à mon bureau. Je connaissais la situation budgétaire, mais dans le cloisonnement de la vie politique et économique française, je ne connaissais pas assez les autres paramètres. Donc il fallait que je rencontre d'urgence un certain nombre de personnes pour me faire une opinion. J'ai donc rencontré

138

plusieurs spécialistes, des banquiers, des responsables économiques, notamment le directeur du Trésor, Michel Camdessus, qui fut ensuite le responsable du Fonds monétaire international. Je dis à Michel Camdessus – parce qu'il se pouvait que, dans quelques jours, la décision soit prise : « Supposez que nous nous mettions en congé du système monétaire européen, qu'est-ce qui va se passer ? »

C'est au cours de cet entretien que Camdessus m'a informé que l'état de nos réserves de change était proche de zéro. Dans la discussion, j'ai pu mesurer – j'ai acquis le fond de ma conviction à ce moment-là – que, par rapport à notre objectif qui était de disposer de marges de manœuvre afin d'agir dans le sens social, économique que nous souhaitions, le paradoxe était qu'un gouvernement de gauche comme le nôtre, sous surveillance, avait, si nous demeurions dans le système monétaire européen, plus de marges de manœuvre que si nous en sortions. Car, si nous en sortions, notre monnaie allait décrocher, ce qui entraînerait des incidences sur notre balance extérieure, notre monnaie nous obligeant à un programme d'accompagnement ultra-restrictif et ultra-rigoureux. Étant catalogué mouton noir, nous ne pourrions absolument pas avancer dans le sens que nous souhaitions pour le pays. Nous serions obligés au contraire d'avoir une politique encore plus dure que si nous étions appuyés, si je peux dire, protégés par le système monétaire européen. Et donc, le lendemain ou le surlendemain, après avoir eu divers contacts, notamment celui-là, je suis revenu voir Mitterrand et lui ai dit : « Monsieur le président, vous m'avez chargé d'une mission, ma conclusion est qu'il ne faut pas sortir du système monétaire européen. Voici le type de politique qu'il faut faire. » Et je pense que cet élément, bien sûr avec d'autres, a contribué à ce que peu de jours après soit prise la décision de confirmer notre choix de l'Europe.

Oui, la conviction que je me suis faite, c'est que si nous sortions à ce moment-là du système, étant ce que nous étions, ce serait probablement une aventure sans retour. Là, effectivement, l'engagement européen de Mitterrand a été déterminant. Mais je pense que, au départ, il n'avait pas d'idée préconçue. C'est un des mérites de Mitterrand. Souvent, on dit Mitterrand tacticien, Mitterrand froid. Il avait ses idées, ses convictions, mais il acceptait de changer de position s'il lui était démontré qu'elle était mauvaise.

Hubert Védrine
Je pense qu'il a hésité. « Hésiter » a une nuance péjorative, mais on devrait au contraire être rassuré que les gens qui prennent des décisions aussi considérables pour le compte de la collectivité soupèsent soigneusement tous les éléments de la décision, et plutôt deux fois qu'une, au lieu de décider sur un sondage ou un caprice. Donc, il a conduit un processus d'examen méthodique qui a duré un certain temps. Au fond de lui-même, je pense qu'il lui semblait impossible d'« albaniser » la France en la faisant sortir du système monétaire européen pour sauter dans l'inconnu et se retrouver au bout d'un certain temps sous les fourches caudines du Fonds monétaire international qui nous aurait dicté notre politique économique. Ça me paraît clair. Je ne peux pas penser qu'il ait sérieusement voulu faire cela. Mais je crois qu'en même temps chez lui, le Premier secrétaire, le volontariste, l'homme pour qui la politique commandait tout le reste, chez

cet homme-là, il y avait une rébellion contre ce rendez-vous inéluctable, contre cette obligation. Je crois donc qu'il a exploré la possibilité de s'engager dans une politique économique différente en se demandant s'il avait encore des marges de manœuvre. Et c'est quand il a été convaincu qu'il n'en avait plus qu'il a fait le choix. Il a fait son travail de président, il a fait le choix stratégique. Il a vraiment dû s'interroger malgré tout ! Je crois qu'après il a sublimé cette obligation, cette contrainte, et il a fait de cet engagement une politique, une volonté et finalement l'aventure européenne de la France.

Mitterrand décide de rester dans le SME. Le camp Delors-Mauroy l'emporte sur les « visiteurs du soir ». La rigueur européenne fera loi : réajustement de la parité mark-franc et sévère plan d'assainissement financier. Reste à trouver l'homme idéal pour conduire cette politique.

Jean-Louis Bianco
Je crois que le président n'aimait pas changer. Il n'aimait pas changer de collaborateur, il n'aimait pas changer de Premier ministre. Il était affectivement très attaché à Pierre Mauroy. Il savait bien que Pierre Mauroy était usé, comme la politique qu'on conduisait, puisque la chute dans les élections (ce qui était plus important pour Mitterrand que les sondages) et dans les sondages était rapide et vertigineuse. Donc la raison, ainsi que les conseils qu'il recevait, étaient de dire : Pierre Mauroy est usé, ce n'est pas forcément de sa faute, mais il a conduit une certaine politique qui n'a pas donné assez de changement dans la vie des gens malgré tous les efforts qui ont été faits, et qui en même temps nous a mis dans une position éco-

nomique où maintenant on est obligés de parler de rigueur.

Mais il ne pouvait pas se séparer de Pierre Mauroy, et puis il avait beaucoup de mal à se décider entre Delors et Bérégovoy. Après avoir beaucoup hésité – il en parlait très souvent avec moi dans toute cette période –, il a opté pour Jacques Delors. Je ne suis pas sûr qu'il ait proposé le poste à Pierre Bérégovoy.

Il y a eu un déjeuner à l'Élysée, où il y avait Mitterrand, Fabius – qui n'était pas encore dans la course pour être Premier ministre à ce moment-là, en tout cas pas très nettement –, Bérégovoy, Delors et moi. Et le président, d'un ton très badin et très détendu, nous a interrogés les uns, les autres, sur ce qu'il fallait faire : fallait-il changer de Premier ministre ? comment voyait-on le Premier ministre ? Fabius, c'était sans doute pour le préparer ; moi, peut-être pour me tester et me préparer ; et Delors et Bérégovoy, pour les mettre sur le gril, pour voir leurs nerfs. C'est à l'issue de ce déjeuner qu'il a gardé Delors et qu'il lui a proposé d'être Premier ministre. Jacques Delors a refusé parce qu'il voulait avoir le contrôle du ministère de l'Économie. Il craignait de ne pas avoir son autonomie de manœuvre comme Premier ministre s'il n'avait pas ce ministère. François Mitterrand a trouvé cette demande tout à fait exagérée, incongrue. Donc Jacques Delors n'a pas été Premier ministre.

Jacques Delors
Il nous a réunis à déjeuner avec Pierre Bérégovoy et Laurent Fabius, il m'a reçu le premier. Il m'a proposé d'être Premier ministre, je lui ai dit que j'étais à sa disposition mais que je souhaitais avoir, non pas le ministère des Finances sous ma coupe, mais la direction du

Trésor en ce qui concerne la gestion de la politique monétaire, parce que celle-ci était vitale. Et que pendant toute cette période, bien que le gouverneur de la Banque de France, M. Renaud de La Genière, ne soit pas de gauche, je résistais à tous ceux qui me demandaient de le changer et je le traitais comme un gouverneur qui aurait déjà été indépendant[1]. Je ne suivais pas toujours ses avis, mais je le traitais comme tel. Par conséquent, je savais combien était important le pilotage de la politique monétaire. Et visiblement, là, je l'ai agacé profondément.

En mars 1983, Pierre Mauroy, le grognard fidèle à ses idées comme au chef de l'État, va-t-il être chassé ou remercié ? Finalement, il reste aux commandes. Mais il doit assumer le passage de la rigueur à l'austérité : un changement de politique qu'à l'Élysée le président refuse de reconnaître pour tel. Il faut encore faire avaler la pilule aux socialistes, leur expliquer qu'on change sans changer.

Claude Estier
On avait parlé à Épinay de rupture avec le capitalisme et, quand on est arrivés au pouvoir, on s'est aperçus que la rupture avec le capitalisme est périlleuse. Il est apparu très vite, après les premières mesures sociales de 1981-1982, qu'on ne pouvait pas continuer comme ça sans aller dans le mur. Les premiers avertissements ont été ceux de Jacques Delors et pas seulement de lui. Mitterrand a très bien compris qu'il fallait à un moment donné changer un peu d'axe. Il n'a pas aimé, il n'a pas accepté le mot de « tournant ». On a employé un autre mot, qui était celui de « parenthèse », une

---

1. On sait que ce n'était pas dans la tradition française.

143

parenthèse qui ne s'est jamais vraiment refermée. C'est-à-dire que, en 1983, il y a eu le choc entre les espoirs exprimés et des réalités qui s'imposaient à nous. Il y a eu beaucoup de déception. Les militants étaient restés sur les idées qui avaient été développées pendant la campagne, pendant les années 70, après le congrès d'Épinay, ils avaient tendance à penser que tout était acquis. Et quand on leur opposait les réalités économiques, ce n'était pas facile. On a eu des débats extrêmement difficiles dans le parti à ce moment-là.

13

Les hommes du président

Pendant l'été 1982, l'équipe de l'Élysée a été remaniée. André Rousselet a quitté la direction du cabinet pour celle d'Havas. Pierre Bérégovoy est entré au gouvernement, cédant le poste stratégique de secrétaire général de l'Élysée à Jean-Louis Bianco, 40 ans, énarque atypique.

Jean-Louis Bianco
Je n'avais pas une très bonne image de François Mitterrand avant de le connaître. Celle qu'avaient beaucoup de Français : l'homme de la IVᵉ République, qui a été dans beaucoup de gouvernements, qui était un animal de pouvoir. Mais ce qui m'avait fasciné, c'était que des gens qui le connaissaient en avaient une image complètement différente. Aussi bien Laurent Fabius que Jacques Attali me disaient : « Ce n'est pas l'homme que tu crois. » Et j'étais frappé de la force de leur conviction.
Je l'avais croisé dans des commissions de travail du Parti socialiste – je faisais partie des experts qui préparaient tel ou tel débat télévisé –, mais je l'avais à peine aperçu. Je l'ai vraiment connu lorsque je suis entré à l'Élysée, à l'initiative de Jacques Attali, pour faire partie de sa petite équipe – une équipe plutôt de réflexion de long terme, de *brain storming*, où il y avait d'ailleurs François Hollande, Ségolène Royal et Pierre

Morel, qui est maintenant ambassadeur. Et c'est là que j'ai fait sa connaissance. Je ne le connaissais pas vraiment avant d'entrer à l'Élysée.

Je savais qu'il m'avait, entre guillemets, repéré. J'avais fait deux ou trois papiers, dont un sur les problèmes de l'école privée qui l'avait intéressé. Puis Pierre Bérégovoy est entré au gouvernement. Et un beau jour François Mitterrand m'a convoqué dans son bureau. Je m'attendais peut-être à avoir une espèce de promotion, il m'a dit : « Voilà, on a pensé à vous... » (ce qui était une formule très mitterrandienne, le « on » étant je ne sais pas très bien qui, sans doute les collaborateurs de Mitterrand, mais évidemment lui-même avant tout), « ... pour le poste de secrétaire général ». Il a ajouté, ce n'était pas son langage, mais c'était en gros : comment voyez-vous le job ? Ce qui était assez étonnant quand on sait que Mitterrand avait la réputation de n'être pas attentif à la marche de la mécanique – ce n'était pas son souci principal. Je lui ai décrit comment je le voyais, comme un rôle d'interface, c'est-à-dire entre le président et le gouvernement, entre le président et les parlementaires, entre le président et les ambassadeurs, chefs d'entreprise et syndicalistes, un rôle qui devait être totalement neutre. Il a dit : « C'est très bien, je vous prends. » Le but était d'informer le président dans un sens et de dire ce qu'il souhaitait qui soit dit dans l'autre. C'était donc vraiment une courroie de transmission, pas plus pas moins, qui devait fonctionner dans les deux sens en alimentant le président avec un maximum d'informations, y compris de l'information atypique, divergente, parce que le danger dans tous les lieux de pouvoir, et spécialement l'Élysée, c'est d'être aveuglé par une pensée unique. On ne

146

disait pas le mot à l'époque, mais la chose a toujours existé.

Bianco a été introduit à l'Élysée par Jacques Attali, le « conseiller spécial », polytechnicien, énarque, tête chercheuse du président qu'il ne lâche pas d'une semelle. Tout visiteur de Mitterrand à l'Élysée est obligé de passer par son bureau. Autour de Bianco et d'Attali, la garde rapprochée élyséenne regroupe des talents prometteurs : Hubert Védrine, conseiller diplomatique, Christian Sautter et François Stasse, conseillers économiques, Élisabeth Guigou, conseillère pour les finances extérieures, Michel Charasse, conseiller pour les affaires institutionnelles, Jean Glavany, chef de cabinet, sans oublier l'homme de l'ombre, François de Grossouvre, en charge – c'est en tout cas lui qui le dit – des services secrets. Comment travaillent les hommes du président ? Tout de suite, François Mitterrand a été clair : « Je n'ai pas de cabinet. »

Hubert Védrine
Un conseiller doit apporter au bon moment – très important le moment – l'information, la suggestion, l'éventail de choix, à un président de la République qui se nourrit de mille autres informations et qui est dans un processus de décision presque continu. Il n'y a pas *avant* la décision et *après* la décision. Il est presque constant, il rebondit. Il doit apporter les éléments nouveaux, l'information dont le président a besoin à ce moment-là.
En ce qui me concerne, je n'étais pas tout à fait un bleu, mais entre donner des avis comme ça sur tous les sujets dans une discussion entre copains, et donner un conseil dont on se dit brusquement : « Mais si jamais il m'écoute, qu'est-ce qui se passe ? », là, on prend conscience de sa responsabilité.

On ne peut pas se permettre de donner au président de la République une information qui soit simplement une opinion. On ne peut pas faire ça ! On ne peut pas confondre avec un éditorial ! Il faut que ce soit une information vérifiée, exacte. On n'a pas le droit de se tromper, il faut vérifier trois fois, et toujours très vite et en temps réel. Il faut mesurer ce qui se passe s'il suit votre conseil. Dans le système Mitterrand très complexe, il n'y avait jamais de cas où il avait simplement suivi votre conseil parce que, au bout du compte, la décision avait été alchimique, je veux dire par là qu'elle avait été composée d'éléments divers.

Il y a beaucoup de réunions, mais en tout petits groupes, c'est-à-dire qu'il y a très peu de réunions générales. Il n'y a pas de délibération collective des conseillers. François Mitterrand considère que les conseillers n'ont aucune légitimité politique, ils ont été choisis par lui pour lui apporter quelque chose en vue de sa réflexion et n'ont pas à se constituer en une sorte d'organe collectif délibérant. Ça n'empêche pas qu'il y a souvent des réunions chez lui, mais elles sont à géométrie variable : trois, quatre, cinq personnes, mais ce ne sont pas toujours les mêmes selon les sujets. Et ça n'empêche pas que le secrétaire général qui, lui, est en charge de la cohésion de l'ensemble réunit souvent l'ensemble des conseillers, ne serait-ce que pour distribuer les tâches et préciser le calendrier, interpréter un événement politique particulier. Donc, cette fonction de synthèse est assurée.

François Mitterrand, homme de l'écrit, travaille surtout la plume à la main.

Hubert Védrine
L'Élysée de Mitterrand... l'Élysée en général d'ailleurs, c'est une ruche. Il y a des conseillers qui couvrent tous les sujets, qui font des notes toute la journée, qui les dirigent vers le président, ça passe par le secrétaire général (le plus souvent, cela dépend des organisations). Cela va au président, la note porte sur un sujet, elle est dans une chemise avec un rabat, elle redescend, annotée... tout ça tourne très vite! L'ensemble de ce circuit que je décris peut avoir lieu en une heure. Et il y a des dizaines, pour ne pas dire des centaines, de notes par jour. Quant aux observations en retour, dans le cas de François Mitterrand, c'était très souvent sibyllin, c'est-à-dire qu'il y avait marqué « Vu ». « Vu », ça voulait dire en principe qu'il avait lu, mais ça ne voulait pas forcément dire qu'il approuvait. Il pouvait désapprouver sans l'avoir dit. Dans d'autres cas, il n'y avait rien ou un point d'exclamation devant une faute d'orthographe ou une correction de style, aucune réponse à côté! On la connaissait par le secrétaire général. Quand vous êtes dans ce genre de machine, si vous êtes un conseiller, vous avez à téléphoner plusieurs fois par jour au secrétaire général pour dire : « Il a mis ça sur la note, qu'est-ce que tu en penses, qu'est-ce que ça veut dire? » Alors, il dit : « Je lui en ai parlé, il veut dire ceci ou cela » ou alors « Je ne sais pas, je n'en sais rien... ». Il y a une sorte de... décryptage toute la journée, donc il faut être, dans l'Élysée de Mitterrand, mitterrandologue et je suppose, dans l'Élysée de Chirac, chiracologue, etc.

Jean-Louis Bianco
Il y avait le circuit des notes. On lui faisait beaucoup de notes, il en demandait beaucoup sur tous les sujets.

Parfois, il trouvait qu'on lui en faisait trop, mais en même temps il en redemandait, et là je crois que l'équipe de l'Élysée avait été très bien formée par Pierre Bérégovoy, qui avait appris à peu près à tout le monde – et moi je n'ai eu qu'à me couler dans le moule – à faire un truc court. Il n'y a pas de question qu'on ne puisse exposer en une ou deux pages : quel est le problème, quelles sont les solutions et que pense celui qui fait la note ?

Donc il travaillait beaucoup là-dessus, avec des annotations qui sont devenues presque célèbres avec le temps, «vu», «bon», qu'il fallait apprendre à décrypter. Le «vu» pouvant dire beaucoup de choses, soit «ça ne m'intéresse pas», soit «je vous en parlerai plus tard», soit «débrouillez-vous». C'était un décryptage à apprendre avec le temps.

Le président ne se contente pas des notes et conseils de ses experts. Il sort beaucoup, dans les milieux les plus divers. Il ne veut pas se laisser enfermer dans la citadelle élyséenne.

Jean-Louis Bianco
Il consultait beaucoup les gens les plus divers, par les circuits les plus divers, ce qui d'ailleurs posait parfois des problèmes à ses collaborateurs. J'ai pu échanger avec ceux qui avaient été ses collaborateurs avant moi : on avait toujours du mal à recoller les morceaux. Parce que, naturellement, il ne donnait jamais à personne la totalité des fils. Ce qui peut se comprendre dans la fonction d'un chef d'État. Il parlait avec ses réseaux d'amitié de jeunesse et ses réseaux issus de la Résistance, ses réseaux de la Charente, ses réseaux de la Nièvre, ses réseaux des Landes, ses amis dans les milieux de chefs d'entreprise, ses amis parlementaires

très divers qu'il connaissait de longue date, y compris à l'intérieur du Parti socialiste. Et puis, avec tout ça il se forgeait son opinion. Et naturellement, nous, ses proches collaborateurs, on n'en voyait qu'un morceau, donc il fallait essayer de recoller pour que simplement les choses marchent correctement.

Hubert Védrine
En tant que président il vivait comme il a vécu toute sa vie, avec un instinct de liberté absolue, sauvage par certains côtés et qui, en tout cas, doit faire en sorte que personne n'arrivera jamais à le ranger dans une petite boîte après avoir dit : « Voilà ce qu'il faut faire sur tel ou tel sujet. » Et très vite, d'ailleurs, les conseillers de l'Élysée de Mitterrand apprenaient la modestie ou en tout cas le relativisme, dans la mesure où le président vérifiait constamment et qu'il avait d'autres informations sur le même sujet, d'autres suggestions venues par d'autres que nous. Ce qui voulait dire qu'il n'était pas dépendant de cette machine de conseillers pour exercer ses fonctions. Ils vivaient dans une certaine concurrence, et un conseiller ne pouvait pas se contenter de demander au ministère compétent des notes qu'il recopiait pour les transmettre au président. Il devait avoir une activité personnelle avec une valeur ajoutée, faute de quoi son influence allait s'amenuiser jusqu'à n'être rien.

Lorsqu'on a le contact direct avec le président, ose-t-on lui parler vraiment ?

Jean-Louis Bianco
Il était très impressionnant. Il avait une manière dans les yeux autant que dans la bouche de vous faire sentir

que vous disiez une « connerie » qui décourageait beaucoup de gens. Et pourtant il n'était pas désagréable. Il était extrêmement exigeant, évidemment, mais c'est normal dans cette position ; et comme il l'était avec lui-même, c'était encore plus normal qu'il le soit avec ses collaborateurs. Mais il admettait très bien qu'on lui parle franchement, ce que trop peu de gens osaient faire. Simplement, je crois qu'il fallait choisir le style et le moment. Surtout si c'était pour exprimer un vif désaccord sur un sujet, parce qu'il commençait par s'emporter. Et en général, une fois qu'il s'emportait, le collaborateur, le ministre ou le Premier ministre s'arrêtait aussitôt, sauf quand il avait vraiment du caractère, alors c'était là que les choses commençaient. Il fallait être capable de surmonter cette première réaction et essayer d'aller au fond de ce qu'on avait à lui dire. Mais c'était possible.

Hubert Védrine
Il pouvait être lointain, glacial, distant, vache, cinglant et en même temps attentif ! Extrêmement attentif sur le plan humain, même bouleversant de gentillesse, de doigté, de tact, intervenant auprès de gens en difficulté pour telle ou telle raison, exactement comme il le fallait quand ils avaient besoin de quelqu'un, et dans des termes parfaits.

14

Le grand dessein

En mars 1983, François Mitterrand a donc choisi l'Europe, contre le « socialisme à la française » dont il se voulait le héros. Il va tenter de faire en sorte que ce socialisme désormais moins arrogant, soit soluble dans l'Europe, cette grande idée à laquelle il est profondément attaché depuis toujours, au point que beaucoup pensent qu'il s'agit de la seule « conviction » qui ait animé sa vie publique.

Élisabeth Guigou
Son engagement européen, nous le savons tous, était bien antérieur à son engagement dans la gauche. Il a raconté souvent comment il s'est «engagé» en tant qu'européen, en assistant, jeune député anonyme [1], au congrès de La Haye, en 1948, où des gens qui s'étaient entre-tués clamaient «plus jamais ça» et en prenaient l'engagement. Chaque fois, dans tous ses grands discours européens, il a cité cet épisode. Pour lui, c'était ça l'épisode fondateur. Chez lui, c'était quelque chose de très affectif. En même temps, de très raisonné aussi. Il n'a jamais été un Européen «cabri» [2], au sens où il était très pragmatique. Il disait :

---

1. Il a déjà été ministre.
2. Formule du général de Gaulle parlant ainsi des dévots de l'Europe.

« On ne va pas faire n'importe quoi, on est une vieille nation. »

Jacques Delors
Dès les premières rencontres que nous avons eues, au début des années 60, puisque je ne le connaissais pas avant, sa foi européenne était là. Elle avait pris naissance lors du fameux congrès de La Haye, en 1948, présidé par Winston Churchill avec ce seul slogan : « Plus jamais la guerre entre nous. » Et depuis, il était devenu européen. Et on peut regarder tout son parcours en tant que ministre de la IVᵉ République : il n'a jamais dévié. Sa foi européenne, c'est un point sur lequel il a toujours marqué de l'allant et de la continuité. Qu'il ait mis ça un peu sous le boisseau, qu'il n'en ait pas fait la proclamation essentielle quand il négociait avec les communistes, c'est vrai, mais les chemins les plus courts pour arriver au pouvoir ne sont pas toujours la ligne directe.

L'Europe, vue de France, c'est d'abord l'Allemagne. Depuis celui qu'ont formé de Gaulle et Adenauer en 1958, le couple franco-allemand a été le moteur de l'Europe[1]. A Bonn vient d'être élu en 1982 un nouveau chancelier, Helmut Kohl, chrétien démocrate passionnément européen. Avec François Mitterrand, si différents que fussent les deux hommes et leurs idées politiques, le contact est excellent. Cette amitié réelle renforce l'alliance entre Paris et Bonn.

Jean-Louis Bianco
Le couple Mitterrand-Kohl a immédiatement très bien fonctionné. Et je me rappelle quand Kohl, à

---

1. Tradition ranimée par l'amitié entre Helmut Schmidt et Valéry Giscard d'Estaing.

154

peine élu chancelier, s'est précipité (son gouvernement était à peine constitué) à Paris pour rencontrer Mitterrand. Je suis allé le chercher à l'aéroport. J'étais impressionné parce que Kohl avait une mauvaise image dans la presse allemande et pas une très bonne dans la presse française : politicien de province, médiocre, sans hauteur de vue... Kohl, dans la voiture – il l'a répété ensuite à François Mitterrand – m'a dit : « On a un problème majeur, c'est le problème des missiles. C'est le problème clé dont je voudrais parler ce soir avec François Mitterrand et voilà quelles sont les données du problème et comment on peut essayer de le régler. » Il m'a impressionné parce qu'il ne s'encombrait pas de détails, il allait droit à l'essentiel. Et, dès le premier contact, François Mitterrand a eu la même impression. On en a reparlé tous les deux et il a tout de suite vu en Khol quelqu'un qui avait une vraie stature d'homme d'État, ce que peu de gens reconnaissaient à l'époque.

En plus s'est nouée une extraordinaire relation d'amitié entre ces deux hommes. Physiquement différents, mais au fond moins différents qu'il n'y paraît, c'est-à-dire que Kohl était un homme de culture, contrairement à ce qu'on croit. Ils ont eu des discussions tout à fait étonnantes sur le piétisme, le quiétisme, la Bavière, la Prusse que François Mitterrand connaissait très bien par l'histoire de la littérature allemande, des sentiments, de la politique. Et donc François Mitterrand a eu le plaisir de trouver non seulement un homme d'État qui défendait son pays, qui avait le sens de l'Europe et avec qui il pouvait construire l'Europe, mais en même temps quelqu'un qui était un partenaire de discussions, plein de finesse et de bon sens politique, mais aussi cultivé. Ce couple a formidablement bien marché. D'ailleurs entre les équipes aussi se sont noués de vrais liens d'amitié, ce qui est assez rare dans ce genre de choses.

On est parfois conduits à s'opposer. Mais j'ai des souvenirs de communiqués franco-allemands qu'on rédigeait avec le conseiller diplomatique de Kohl. On ne savait plus très bien qui était français, qui était allemand. On était tellement d'accord sur ce qu'on voulait dire qu'on cherchait ensemble, à quatre ou cinq, la meilleure formulation. Donc, c'est ce climat extraordinaire, que Mitterrand et Kohl ont su créer, qui nous a permis d'avancer.

D'emblée, le président français saisit l'occasion de montrer sa solidarité à son ami le chancelier. Depuis quelques années, les Soviétiques ont déployé en Europe de l'Est des missiles à moyenne portée, les SS 20, qui constituent une menace directe pour l'Europe occidentale. Face à ces « euromissiles » russes, les Américains proposent d'installer des fusées, les Pershing, sur le territoire de la République fédérale. Cette perspective suscite une opposition en Allemagne où le mouvement pacifiste, hostile à toute course aux armements, est très vigoureux, notamment chez les socialistes. Mitterrand, en contradiction avec ses amis politiques d'outre-Rhin, est favorable à l'installation en Allemagne occidentale des Pershing américains. Cette position, il va l'affirmer haut et fort dans un discours prononcé devant le Bundestag et qui fera date.

Jean-Louis Bianco
Ce discours a vraiment été un coup de tonnerre. L'histoire du discours elle-même est un de mes plus grands souvenirs. Comme souvent avec François Mitterrand, on lui avait préparé des projets (je précise qu'il écrivait tous ses discours lui-même ; il y a beau-

coup de gens qui prétendent aujourd'hui en être les auteurs, je crois qu'ils se gonflent beaucoup). François Mitterrand, même pour les petites allocutions, les écrivait lui-même de A à Z, mais on lui fournissait des morceaux, des idées, des schémas, des textes qu'il annotait, changeait.

Hubert Védrine
François Mitterrand faisait lui-même ses discours ou les corrigeait lui-même et souvent les réécrivait entièrement. Il n'a jamais eu de rédacteur de discours attitré. Chaque conseiller faisait des projets de discours dans son domaine particulier. C'était un peu révisé par le secrétaire général qui connaissait les formules creuses que le président n'aimait pas (du genre « se féliciter », « relever les défis de l'an 2000 », etc.). Mais, en fait, c'était lui qui reprenait les choses avec son gros stylo, spécialement sur les grands textes. Là, c'était un grand discours qui comportait une fixation de ligne de la politique de défense de la France, de la stratégie de la vision européenne, des rapports franco-allemands. Ça a été comme ça pour tous les grands discours, ce n'est pas le seul cas !

Jean-Louis Bianco
Et pour le Bundestag, voilà comment ça s'est passé. Pendant un voyage en Afrique, on lui transmet un premier projet qu'il trouve nul. On revient à Paris, il dit : « Ce n'est absolument pas ça, vous n'avez rien compris, ça ne va pas du tout. » Il y avait, je crois, un dîner prévu dans une ambassade, on était pris par différentes obligations ; donc François Mitterrand dit à ceux qui l'entouraient – il y avait Jacques Attali, Cheysson, Hernu, le général Saulnier, moi : « On

157

se retrouve après le dîner (on avait deux dîners différents) et on va commencer à travailler.» Quand on se retrouve, il était donc dix heures et demie du soir, le discours était pour le lendemain matin et pas une ligne n'était écrite. François Mitterrand nous dit : «Tout ça, ce sont des banalités, de la pensée toute faite, ça ne va pas du tout. Il faut d'abord que vous réfléchissiez un peu.» L'heure tourne. «Dans quelle hypothèse peut se déclencher une guerre nucléaire? Dans quelle hypothèse un président de la République française pourrait-il être amené à se servir de la dissuasion avec l'idée de ne pas s'en servir mais de menacer?» Et on a eu droit à deux heures de discussion, pas uniquement de monologue, mais de discussion sur ce qu'est l'arme nucléaire dans le monde d'aujourd'hui, que veut dire la force nucléaire et la menace de s'en servir. Il était minuit. Alors, il a dit : «Maintenant vous avez compris, vous pouvez peut-être essayer de rédiger quelque chose.» Et donc on a rédigé de minuit à cinq-six heures du matin, il est arrivé, a pris nos papiers et a dit : «Là il y a une base, là je peux travailler.» Et donc à six heures du matin, il travaille; à sept heures, il travaille dans la voiture, puis dans l'avion…

Il a un premier entretien avec le chancelier Kohl. Les Allemands nous demandent : «Est-ce qu'on peut avoir pour la presse le discours du président?» «Non, non, il n'est pas fini.» Juste après l'entretien avec le chancelier Kohl, avant d'aller au Bundestag, il se réserve un quart d'heure et il continue à écrire. Le maillon le plus vulnérable était le secrétariat. Donc pour le chef d'état-major de l'Élysée, le général Saulnier, le secrétaire général Jean-Louis Bianco, le conseiller spécial Jacques Attali, le principal problème était d'aider la secrétaire et de faire des photocopies. Le discours a été prêt à

10 h 30 et on est partis à 10 h 31 pour le Bundestag. Et ça a été le grand discours que l'on sait.

C'est typique de François Mitterrand : il s'est donné le temps jusqu'au bout pour écrire le discours. Il a complètement affolé les Allemands qui disaient : « Ces Français ne sont décidément pas sérieux. (On voyait un général courir d'une pièce à l'autre pour apporter un verre d'eau à la secrétaire...) Vraiment, ce ne sont pas des partenaires fiables. » Mais ils ont eu le discours du Bundestag, et c'est typique de la manière de faire de François Mitterrand.

Hubert Védrine
La France était autant visée par les missiles soviétiques à moyenne portée que l'Allemagne ou les autres. Donc, il ne l'a pas fait pour leur rendre service. Il a réagi en patriote européen. Mais ça a été vécu par le chancelier Kohl, qui avait à affronter une contestation très très vigoureuse, comme un appui inespéré, vécu par le SPD de l'époque comme une trahison, ce qui était absurde, car c'est Schmidt qui avait invité le président français. L'idée n'était pas de les gêner mais d'affirmer une conviction.

Au début de 1984, la France prend la présidence tournante de l'Europe. Pour bien manifester son implication personnelle dans ce dossier, qui est aussi son grand dessein, François Mitterrand fait appel pour le défendre à l'ami très proche qu'est pour lui Roland Dumas.

Roland Dumas
Nous étions en voyage officiel en Yougoslavie. Mitterrand m'y avait invité. L'aide de camp du président me téléphona un soir, tard : « Le président veut vous

voir au petit déjeuner.» C'était en décembre 1983, la France allait prendre la présidence de la Communauté au mois de janvier suivant, c'est-à-dire à quelques jours de là.

Mitterrand m'attendait dans sa chambre d'hôtel; il me dit: «Bon, voilà, vous allez entrer au gouvernement. C'est le moment.» «Merci, monsieur le président, très bien.» «Je vais vous nommer ministre plein aux Affaires européennes. Nous sommes en pleines difficultés. On s'empêtre dans les contentieux. Vous parlez plusieurs langues, vous me le confirmez.» J'acquiesçai. Il ajouta: «Vous n'êtes pas très européen.» Je répondis: «On ne peut pas dire cela.» «Bon, ça va, très bien», dit-il en coupant court à cette séquence. «Je pense que les Anglais vous auront à l'œil. Ce sera à vous de vous débrouiller.» Il ajouta: «Venez demain matin, on fera l'annonce en fin de matinée, je vous dirai ce que je pense et la façon dont il faut prendre les choses.»

Dès le lendemain matin, Bianco faisait l'annonce que Mitterrand m'avait nommé et me recevait. Il m'a gardé deux heures dans son bureau. Il m'a expliqué en long et en large ce qu'il voulait pour l'Europe. «Voilà l'état de l'Europe, voilà ce que nous voulons en faire.» Il m'a répété ce qu'il m'avait dit maintes fois: «Vous avez tort de ne pas être plus européen parce que c'est la grande aventure de notre génération. Mais je sais que vous vous en débrouillerez bien. Vous prendrez tous ces dossiers comme des dossiers d'avocat et vous allez me régler tous ces problèmes. Je tiens par-dessus tout à ce que vous terminiez la négociation avec l'Espagne et le Portugal[1]. On a mené en bateau ces

---

1. Roland Dumas parle très bien l'espagnol.

deux pays du temps de Giscard qui a été très injuste avec eux. Il a fait durer une pseudo-négociation pendant sept ans, sans conclure. Alors je vous demande de conclure rapidement. » Puis il se ravisa, me regarda de nouveau : « Bien évidemment, il ne faut pas sacrifier les intérêts français, cela va de soi. » C'est parti comme ça.

Depuis des années, la construction de la Communauté européenne est en panne. L'Angleterre de Mme Thatcher, qui ne souhaite faire de l'Europe qu'une vague zone de libre-échange [1], réclame un remboursement partiel des sommes versées par son pays à Bruxelles : on marchande sur le montant du chèque à verser à la « dame de fer » muée en caissière. En attendant, tout est bloqué.

Jean-Louis Bianco
Il ne faut pas oublier comment les choses se présentent en 1981. D'abord – et c'est très intéressant par rapport à aujourd'hui –, Mitterrand parle d'Europe sociale, mais c'est comme s'il avait prononcé un mot sacrilège. C'est au mieux une rigolade, au pire des hurlements. Comment ? Parler d'Europe sociale en 1981 ! Tous les partenaires trouvent ça surréaliste alors qu'on est en plein dedans aujourd'hui, qu'on voit bien que c'est vers ça qu'il faut réorienter la construction européenne. Donc en 1981 : accueil glacial. Et puis, en effet, il désembourbe.
Il avait recensé, quand la France a pris la présidence de l'Europe, puisque ça tourne tous les six mois, dix-

---

1. Les Anglais ont mal vécu le refus opposé par de Gaulle au Premier ministre MacMillan, vingt ans plus tôt.

sept contentieux qui portaient sur les sujets les plus divers, notamment sur le chèque britannique de Mme Thatcher, mais aussi sur les quotas laitiers. C'était quand même extraordinaire de voir des chefs d'État et de gouvernement discuter pied à pied du nombre d'hectolitres de lait qu'on aurait le droit de produire dans chacun des États de l'Europe. Ils étaient devenus des hyper-spécialistes de ces quotas...

François Mitterrand inaugure une méthode qui a été reprise par la suite. Il prépare longtemps à l'avance avec ses collaborateurs tous ces thèmes et on cherche les compromis possibles. Puis, il digère tout ça, il le prépare à sa manière. Il ne nous dit pas exactement ce qu'il va faire. Ensuite, il part faire la tournée des capitales européennes, et voit l'un après l'autre les différents chefs d'État et de gouvernement. Avec chacun il fabrique un début de consensus et il arrive, en effet, au sommet de Fontainebleau, à régler, enfin à trouver un accord pour régler tous les problèmes.

L'accord au sommet de Fontainebleau, en juin 1984, débloque le processus de la construction européenne. Mme Thatcher en rabat sur ses exigences financières. Mitterrand et Kohl s'entendent sur le nom de Jacques Delors pour présider la Commission de Bruxelles.

Jacques Delors
Il est toujours difficile et injuste de simplifier, mais on peut dire que Helmut Kohl et François Mitterrand auront marqué la période de relance de la construction européenne, disons de 1984 à 1992. Et que, par conséquent, François Mitterrand a exercé une grande influence en ce qui concerne les progrès réalisés par

l'Europe. En 1984, la construction européenne était en pleine stagnation, elle croulait sous les divisions et les contentieux. Après avoir réuni dans son bureau quelques ministres, je peux vous assurer qu'il a visité toutes les capitales et que c'est lui qui a fait la synthèse, qui a permis à Fontainebleau de régler tous ces contentieux, y compris la revendication la plus lourde, celle de Mme Thatcher : « *I want my money back!* » (je veux qu'on me rende mon argent). Et sans ce Conseil européen de Fontainebleau, je pense que je n'aurais pas accepté d'être président de la Commission, car je crois que je n'aurais rien pu faire. Mais c'est grâce à cet accord, à ce compromis historique, que j'ai pu ensuite proposer une relance en plusieurs étapes liées entre elles. Et dans cette proposition de relance, j'ai été soutenu à 100 % par François Mitterrand jusqu'en 1991.

Élisabeth Guigou
Je crois que rien ne se serait fait sans Mitterrand, Kohl et Delors. Et que le couple Mitterrand-Kohl a été le couple décisif ; je pense que c'est Mitterrand qui a été le moteur, mais qu'il a eu cette chance formidable d'avoir un chancelier très européen, qui lui-même, quoique plus jeune, avait également vécu la guerre. Et vraiment, l'un et l'autre ont su prendre de lourds risques de politique intérieure pour faire avancer l'Europe, parce qu'ils étaient tous deux convaincus que c'était l'œuvre historique, la meilleure garantie pour la paix, que, pour les jeunes générations, c'était ce qu'il fallait faire. C'était pour eux un engagement profond. Il s'agissait de deux personnages absolument différents, mais de grands politiques tous les deux. Ils s'étaient reconnus et estimés comme tels. Ils avaient une forme

d'amitié qui n'était pas du tout familière, mais très profonde quand même.

Roland Dumas
A la fin de notre entretien lors de ma nomination, Mitterrand ajouta en me raccompagnant jusqu'à la porte : « Il faut faire tout ce que l'on peut faire aujourd'hui pour la construction de l'Europe pendant que Kohl est là, parce qu'après Kohl je ne sais pas qui viendra. Donc, allons le plus loin possible et rendons les choses irréversibles. »

Hubert Védrine
C'est vrai que si l'on en parle avec le recul, on voit bien que dans ces années 1984-1992, entre lui, Helmut Kohl, Jacques Delors, plusieurs autres, dont Felipe Gonzales par exemple, il y a vraiment une période exceptionnelle de la construction européenne, il y a un grand projet, il y a une vision à long terme, il y a une politique, il y a une entente, il y a une coordination, il y a une... créativité, une pédagogie ! C'est tout à fait étonnant, le déblocage de 1984 a pu entraîner le règlement de la négociation sur l'Espagne et sur le Portugal qui sont rentrés, l'Acte unique, idée de Jacques Delors, pour rendre l'Europe plus efficace et parachever le marché unique, la relance de toute la préparation de l'Union économique et monétaire qui conduira ensuite étape après étape jusqu'à la monnaie unique avec un engagement politique phénoménal de Kohl et de Mitterrand, tous les jours, face aux obstacles !
Quand je prétends qu'il l'a fait seul, je veux dire par là que personne à mon sens parmi les autres dirigeants importants de la gauche dans les années 1983-1984 ne

lui a suggéré de placer cette priorité européenne au centre des choses. Personne ne lui a dit ça! Au contraire, tous l'ont vécu comme une contrainte, au début en tout cas.

15

Le plus jeune Premier ministre

Mitterrand impose à la France sinon l'Europe, en tout cas la priorité européenne. Il l'impose surtout à la gauche. Non seulement parce que la composante communiste y est hostile, comme un large secteur du Parti socialiste, mais parce que la construction européenne, l'ouverture progressive des marchés, la concurrence internationale entraînent de douloureuses restructurations industrielles. Pour le gouvernement Mauroy, le coût social est terrible. L'Europe a un prix, qui s'appelle l'austérité. Le chômage continue de grimper à mesure que ferment les entreprises atteintes par la crise et la concurrence. Le président et le Premier ministre subissent une impopularité croissante. Au printemps 1984, moins d'un tiers de l'opinion les soutient.

> *Jacques Delors*
> L'effet d'annonce du programme commun était trop éloigné de ce que l'on pouvait faire. Lorsque, en démocratie, on annonce beaucoup plus qu'on ne pourra faire, l'électorat vous le fait payer un jour ou l'autre. Parce que les gens sont intelligents et ont du bon sens.

La crise de l'école aggrave encore la désaffection de l'opinion. Une des promesses du candidat Mitterrand était, pour apaiser la guerre scolaire vieille d'un siècle, la création d'un grand service public unifié de l'Éducation qui englobe les établissements privés. Depuis trois ans, le ministre Alain Savary – qui a été choisi pour sa prudence, son sens de l'équité et son absence de sectarisme – négocie avec tous les partenaires afin de trouver un compromis. Mais le débat s'envenime. Au printemps 1984, par centaines de milliers, les partisans de l'école privée qui estiment leur liberté menacée et sont poussés à la rupture par les partis de droite, descendent dans la rue. Une partie du clergé, certaines associations « privées » soutiennent Savary. Mais, au sein du Parti socialiste d'une part, à l'archevêché de Paris de l'autre, les ultras durcissent leur position. C'est l'impasse. Mitterrand recule et retire le projet de loi. Alain Savary, désavoué, démissionne aussitôt. Pierre Mauroy, solidaire de son ministre de l'Éducation, et en désaccord moral avec le retrait de la loi, présente à son tour sa démission.

Claude Estier
L'affaire scolaire a quand même été un formidable tremblement de terre dans le gouvernement de la gauche de l'époque. Je crois que cette affaire a été extrêmement mal gérée. On n'a jamais expliqué exactement ce qu'on voulait et on a laissé croire qu'on allait supprimer l'enseignement privé, ce qui n'avait jamais été dans nos intentions. Quand on parlait d'un grand service de l'enseignement laïc, obligatoire, cela a été interprété par les défenseurs de l'enseignement privé comme la volonté de fermer les écoles privées. Et tout ça a duré beaucoup trop longtemps. C'est-à-dire qu'en 1981, dans l'atmosphère de 1981-1982, au moment où on prenait les mesures de nationalisation, de décentralisation, si on s'était attaqué au problème scolaire à ce moment-là, je pense qu'on l'aurait réglé. Mais Alain Savary s'était engagé dans de longues concertations avec les uns, avec les autres, qui n'en finissaient pas et, au bout de trois ans, la droite avait

retrouvé ses forces. Et elle a saisi cette affaire scolaire comme un moyen de revanche sur la défaite de 1981. Et c'est sur cette affaire-là qu'elle a mis un million de personnes dans la rue. Il fallait changer les choses. François Mitterrand avait trouvé cette idée extraordinaire de faire un référendum sur le référendum pour savoir si l'on pouvait effectivement résoudre l'affaire scolaire par référendum, ce qui était une façon de botter en touche, mais qui obligeait aussi en même temps à changer de gouvernement. Alors les communistes ont saisi cette occasion pour s'en aller, parce qu'ils se sentaient très mal à l'aise dans ce gouvernement. Ils ont prétexté que Laurent Fabius ne leur avait pas offert suffisamment de portefeuilles. En fait, ils étaient tout à fait décidés à quitter le gouvernement. Mais je pense que l'affaire scolaire a été une épreuve encore beaucoup plus périlleuse que le tournant de la rigueur de 1983.

Laurent Fabius
Nous nous trouvions face à une crispation – le mot est faible – de l'opinion, qui était peu supportable. Nous avions connu les grands défilés sur l'école avec des millions de gens dans la rue. Bien sûr des catholiques, des milieux de droite, mais pas seulement. Et nous avions mené si habilement notre affaire que même des gens de gauche, ou qui n'étaient pas engagés, se disaient : «Mais est-ce que la gauche n'est pas en train de menacer nos libertés?» Quand on dit que la gauche est en train de menacer les libertés, c'est qu'on fait fausse route. Il fallait changer.

En juillet 1984, Pierre Mauroy quitte donc Matignon. Les communistes qui, depuis longtemps, exprimaient des réserves

sur la politique de rigueur et se refusaient à endosser l'impopularité qui en résultait profitent de l'occasion pour s'esquiver.

Jack Ralite
Vous connaissez sans doute les débats au comité central. Ce n'était pas des débats faciles, et puis on sentait
qu'il y avait des luttes intestines, ce qui est toujours très
désagréable. Tout cela pesait. Donc, nous sommes
partis.
Auparavant, j'étais favorable au départ. Le moment
venu, je me suis questionné vraiment très fort. Je l'ai
d'ailleurs dit au comité central. Je l'ai dit, mais j'ai
voté le départ.

Laurent Fabius succède à Pierre Mauroy.

Laurent Fabius
Mitterrand avait le choix entre plusieurs personnes
comme Premier ministre. Parmi tous, pourquoi m'a-
t-il nommé moi? A beaucoup compté la confiance
personnelle. Mitterrand était heureux d'avoir à ses
côtés quelqu'un qui avait 37 ans et dont il avait le sentiment qu'il le connaissait depuis quarante ans! Et
puis il avait conscience qu'il fallait un changement
de cap et que, pour incarner ce changement, il fallait
un autre responsable. Ce que je vous dis là résultait
de nos conversations, mais ça allait de soi. J'en ai
eu confirmation lorsque, quelques jours après ma
nomination, il m'a dit : « Écoutez, vous êtes Premier
ministre, vous êtes en charge de la politique économique et de la politique sociale. J'ai donné instruction
pour que, si mes conseillers veulent me saisir pour
peser sur vous, ce soit non. De même, si les ministres
veulent vous court-circuiter auprès de moi, non. Dans

ce domaine-là, vous êtes le patron.» Ce qui implicitement d'ailleurs voulait dire que, dans le domaine de la politique extérieure, la politique de défense, c'était différent. On connaît les équilibres de la Ve.

Et donc moi, mon premier objectif, c'était de sortir de la paralysie où nous nous trouvions. Quelques mois avant, le Parti socialiste avait fait 20 % aux élections. Ce n'était pas énorme! Nous devions affronter les élections législatives moins de deux ans après. Il fallait à la fois sortir de la paralysie, accélérer la modernisation du pays, dont certains éléments étaient acquis mais dont beaucoup restaient en suspens. Sur le plan politique, même si cette formulation n'était pas explicite, nous devions faire en sorte que les résultats de l'élection permettent à la cohabitation de s'instaurer. Laquelle portait en germe, pour Mitterrand, la possibilité de se présenter à un deuxième septennat. Recréer une atmosphère plus sereine et positive, moderniser la société, opérer les choix économiques, sociaux qui permettraient de redresser la situation et faire converger tout cela, si possible, en vue d'un résultat électoral satisfaisant.

Mon discours d'investiture tournait autour de deux concepts : moderniser et rassembler. Moderniser, parce que c'est ce que je portais en moi, pensant que la société française, déjà, avait besoin de cette modernisation dans différents domaines – politique, économique, social. A quelques années d'intervalle, on retrouve le même objectif.

Parce qu'elle est ce qu'elle est, il revenait à la gauche d'opérer le travail de modernisation économique. La gauche, sa base sociale, ce sont les salariés, ceux qui produisent, ceux qui créent de la richesse. Évidemment, tant qu'on se trouvait dans un schéma d'une implacable lutte de classes, il était difficile d'avancer en ce sens. Mais à partir du moment où, avec une vision plus complète des choses, vous gouvernez l'État, ces réformes qui ont fait passer l'économie française d'une économie inflationniste, endettée, déséquilibrée, parfois en retard, à une économie davantage compétitive, c'était à nous qu'il revenait de les faire, même si c'était coûteux.

Nous l'avons fait pour l'économie, puisque c'est de cette époque, de celle déjà où Pierre Mauroy était Premier ministre, que datent le succès contre l'inflation, la fin de l'échelle mobile des salaires et la reconstruction de l'industrie française, de l'économie française. Mais nous l'avons fait pour l'économie, et nous avons eu raison de le faire. Nous ne l'avons pas fait autant que nous aurions dû le faire pour l'État. Or, je pense que, là aussi, c'est à la gauche qu'il appartient de le faire. Parce que la gauche croit, non pas à la toute-puissance de l'État, mais à un certain rôle de l'État et du service public. Si ce n'est pas la gauche qui réhabilite le bon fonctionnement de l'État et du service public, elle ne fait pas son travail. Nous l'avons fait aussi en engageant la décentralisation qui est une grande affaire, avec notamment Gaston Defferre, mais nous n'avons pas réalisé la modernisation de l'État qui demeure aujourd'hui nécessaire.

La presse n'a pas fait mauvais accueil au « plus jeune Premier ministre » de l'histoire moderne de la France. Mais elle présente Laurent Fabius comme le « porte-serviette » de Mitterrand. Le nouveau titulaire de Matignon éprouve le besoin d'exister.

Laurent Fabius

L'histoire de «Lui c'est lui, moi c'est moi» est amusante et révélatrice du système de fonctionnement médiatique. Et un petit peu du mode de fonctionnement de François Mitterrand.

Sauf erreur de ma part, j'ai prononcé cette phrase dans une émission de télévision qui s'appelait *L'Heure de vérité*. J'étais Premier ministre depuis peu de mois, on m'invite à cette émission – à l'époque, grande émission de télévision – pour à la fois mieux me connaître et préciser quel programme j'allais suivre dans les mois qui viennent. Je voyais François Mitterrand chaque semaine, plusieurs fois par semaine, et un peu avant l'émission, nous discutons. Je lui dis : «Au fond, président, ma nomination a été bien accueillie, mais la critique qui est faite est celle-ci : "Fabius n'existe pas vraiment. Il est l'ancien directeur de cabinet de Mitterrand, n'est-il pas simplement l'ombre portée du président de la République? Alors que le Premier ministre doit posséder une existence par lui-même."» Et Mitterrand me dit : «Oui, vous avez raison, il faut répondre à cette critique. Affirmez-vous donc, faites ce que vous devez faire, développez votre autonomie.» Et j'ajoute, je crois, dans la conversation : «Oui, d'ailleurs j'ai l'intention, si l'on me pose cette question, de répondre par une formule : "Lui c'est lui, moi c'est moi".» «Très bien», dit-il.

Vient l'émission, le sujet est abordé, et j'emploie la formule que nous avons préparée ensemble : «Lui c'est lui, moi c'est moi.» Sur le moment, pas de réaction particulière. C'est seulement quelque temps plus tard, lorsque s'est produit un peu de tangage dans l'affaire Jaruzelski, que cette formule a resurgi. «Lui c'est lui, moi c'est moi» est apparu comme une volonté

172

critique de distanciation, ce qui n'était nullement le cas au départ. Cette formule a alors vécu son existence propre et François Mitterrand lui-même y a fait référence. Vous voyez comment, petit à petit, les formules modifient leur sens, ou plutôt sont réappropriées, et deviennent un petit caillou de l'histoire.

En novembre 1985, le chef du gouvernement polonais, le général Jaruzelski, l'homme aux lunettes noires qui a traité par la force, en 1981, le mouvement Solidarnosc de Lech Walesa, est reçu à Paris. C'est l'occasion d'un affrontement feutré, au moins d'un froissement, entre le président et son jeune Premier ministre.

Laurent Fabius
Pour la Pologne, et pour Jaruzelski, il s'agissait d'une question de fond. Fallait-il oui ou non, à ce moment, recevoir le général Jaruzelski en France ? Au départ, je n'en ai pas été informé, j'ai appris ça par l'agence France-Presse, ce qui n'était peut-être pas exactement la meilleure méthode – s'il en existe dans ce genre de situation... Mais laissons de côté la susceptibilité. La question était posée. Mitterrand était évidemment libre de recevoir qui il voulait, mais moi, j'ai considéré que c'était une erreur, et j'ai eu une explication très franche avec lui. Il n'appréciait pas spécialement qu'on lui dise ce genre de chose. D'ailleurs, ce ne devait pas être très fréquent. Il m'a répondu : « C'est ma décision. Bon, j'enregistre votre désaccord, mais c'est ma décision. » Ensuite, il s'est trouvé que j'ai été amené à répondre à une question sur ce sujet lors des questions d'actualités à l'Assemblée.
Là, je crois qu'avec le recul du temps j'aurais pu choisir une autre formulation, j'ai dit : « Je suis troublé. »

Évidemment, cette distanciation s'est vue. Cela a posé des problèmes parce que, si le président de la République n'est pas d'accord sur ce point-là avec le Premier ministre, ce n'est pas excellent. Mitterrand, quelques heures plus tard, partait pour les Antilles. La presse a commencé à réagir, soulignant : «Ah, il y a une crise.» Nous nous sommes joints au téléphone. Je ne sais pas si c'est lui qui m'a appelé ou moi qui l'ai appelé, en tout cas, nous avons parlé de la situation et nous nous sommes dit, je reconstitue : «Oui, il existe une difficulté.» En outre, dans ces cas-là, les entourages font ce qu'il faut pour que la situation ne s'améliore pas. Il a dû me dire : «Vous vous êtes exprimé, mais maintenant Jaruzelski va venir (ou «il est venu», je ne me rappelle pas exactement s'il était venu lorsque Mitterrand est parti pour les Antilles, ou s'il allait venir), mais passons à l'exercice suivant.» Nous avons tout de même été obligés, parce que la situation était délicate, dès son retour de voyage, de réagir d'une façon manifeste pour montrer qu'il s'agissait d'une péripétie mais que, sur le fond, rien n'était changé et que le président de la République et le Premier ministre travaillaient en confiance : nous sommes allés visiter une exposition ensemble, sur la ville, je crois, bras dessus, bras dessous. Ensuite, la vie a repris son cours.

Maintenant, sur le fond ! Est-ce que c'était lui qui avait raison ou est-ce que c'était moi ? Je pense que j'ai eu tort dans mon expression. Parce que cette distanciation est très difficile dans le cadre des institutions de la Ve République. Quant au fait même de recevoir Jaruzelski, je pense que ça n'apportait rien, en tout cas à la France. L'idée de Mitterrand était : «Jaruzelski, en fait, défend en tant que patriote polonais les Polonais contre l'Union soviétique. » Je ne crois pas vraiment à cette position. Jaruzelski était l'homme qui avait envoyé en prison Walesa et beaucoup d'autres. Et d'ailleurs, lorsque Mitterrand a reçu Jaruzelski, il l'a fait entrer par la porte latérale de l'Élysée, sans que soit prise aucune photo, ce qui n'est pas la démarche habituelle. La position de Mitterrand était fondée sur sa conception des rapports froids d'État à État. La mienne était plus volontariste, plus réactive, plus sensible aux droits de l'homme. Et puis, il existait un élément psychologique au-delà de l'élément politique. Mitterrand, non seulement n'aimait pas aller dans le sens où on le pressait d'aller, mais adorait aller dans le sens exactement inverse. Il ne faut pas rencontrer Kadhafi : donc je rencontre Kadhafi. Il ne faut pas voir Jaruzelski : je vois Jaruzelski. Il y a un côté positif dans cette attitude, qui consiste à ne pas confondre les intérêts profonds de son pays avec l'inflexion du sondage qui passe. Parfois aussi faut-il admettre qu'en prenant le systématique contre-pied de l'opinion, on peut choisir des directions contestables. Ensuite, nous en avons reparlé entre nous, l'affaire a été classée. Mais, sur le moment, ce fut assez difficile.

16

Tempête dans le Pacifique

Le 10 juillet 1985, un bateau de l'organisation écologiste Greenpeace, le *Rainbow Warrior*, est coulé dans le port d'Auckland, en Nouvelle-Zélande. Un photographe portugais qui se trouvait à bord est tué. Il s'agit d'un attentat, dont la presse française rend compte le lendemain. Sur place, la police néozélandaise interpelle un couple qu'elle identifie très rapidement : il s'agit d'agents des services secrets français. Dans les heures qui suivent, le président de la République est alerté par le ministre de l'Intérieur Pierre Joxe : la DGSE [1] est dans le coup. La responsabilité criminelle de la France est engagée...

Jean-Louis Bianco
Je n'ai pas de certitude sur ce que le président savait exactement. Ma conviction est qu'il n'avait pas été prévenu de quoi que ce soit. Le problème, c'est que je ne peux étayer cette conviction que sur des impressions, et tout dépend de ce qui s'est dit lors des nombreux tête-à-tête entre le président et l'amiral Lacoste, patron de la DGSE. Que se sont-ils dit exactement ? Il m'est arrivé de voir que Lacoste ne comprenait pas toujours ce que disait le président, et réciproquement. Ont-ils parlé explicitement de Greenpeace ? Je n'en sais rien. Mais j'ai plutôt, à voir la réaction du prési-

---

1. Direction générale de la sécurité extérieure.

dent lorsque cette affaire a éclaté, le sentiment qu'il ne savait rien.

Laurent Fabius
Il y a la phase pendant laquelle, nécessairement, des instructions ont été données, et des instructions stupides, absurdes de détruire le bateau. C'est une phase à laquelle ni de près, ni de loin je n'ai été associé. Je pense que Mitterrand ne l'était pas non plus. C'était un ordre imbécile, et il n'était pas du genre à donner des ordres imbéciles. Malgré tout, une instruction a été donnée, les choses ne se sont pas faites toutes seules.

Le 15 juillet, le président de la République convoque dans son bureau le Premier ministre Laurent Fabius et le ministre de la Défense Charles Hernu, en présence de Roland Dumas, ministre des Affaires étrangères.

Roland Dumas
Nous étions quatre dans le bureau du président de la République : Mitterrand, Fabius, Hernu et moi. La scène était assez pénible, parce que Charles Hernu nous donnait une version qui ne coïncidait pas avec les faits. J'avais interrogé moi-même mon homologue anglais [1], qui était venu exprès à Paris me voir et qui démentait ce que nous disait Hernu, à savoir que l'affaire était « un sabotage des Anglais ». Il prenait argument du fait que nos services de renseignement avaient acheté des pneumatiques en Grande-Bretagne, dont ils s'étaient ensuite servi dans le Pacifique.
Geoffrey Howe m'avait dit : « Roland, je te donne ma

---

1. La Nouvelle-Zélande est membre du Commonwealth.

177

parole d'honneur qu'après avoir enquêté dans tous les coins, les services britanniques ne sont pour rien dans cette affaire. » Je répétai tout cela. Hernu était très mal à l'aise. Très, très mal à l'aise. Nous avons commencé à comprendre, en nous regardant, la réalité des choses. C'était bien un événement qui trouvait sa source chez nous. C'était une maladresse de chez nous, de la part des nôtres. Cela m'apparut clairement au cours de cet entretien, dix jours après l'événement. Pour Mitterrand aussi, je crois. Mais Mitterrand était un autre homme et je lisais sur son visage, en même temps que la surprise, le chagrin qu'il avait de devoir sacrifier Charles Hernu.

Laurent Fabius
Nous avons eu une réunion dans le bureau de Mitterrand, avec le ministre de la Défense Charles Hernu et moi-même. Cela se passait après l'explosion. Mitterrand a interrogé devant moi Hernu, en lui disant : « Mais enfin, Charles – il l'appelait Charles –, exprimez-vous devant le Premier ministre : est-ce que les services secrets français y sont pour quelque chose ? » Et Hernu : « Monsieur le président, je le certifie, je le jure, nous n'y sommes pour rien. » Moi, j'ai vécu sur cette déclaration, j'étais dans l'incapacité de penser que Charles Hernu ne disait pas la vérité ou bien que Mitterrand aurait utilisé, à mon égard, une espèce de stratégie faisant dire à Hernu : « Vous allez parler ainsi devant Laurent Fabius. » On était en plein roman-feuilleton.

Pendant des semaines, le président de la République, qui ne peut ignorer, sinon le « montage » de l'opération, en tout cas l'origine de l'attentat, tergiverse. La plus haute autorité de l'État

178

adopte la stratégie du camouflage. Comme à son habitude, Mitterrand veut gagner du temps.

Paul Quilès
Une des techniques de Mitterrand qui me surprenait et même m'a choqué à de multiples reprises – je le lui ai dit d'ailleurs –, c'est qu'il fallait, selon sa fameuse formule, «donner du temps au temps». Il attendait en se disant : «Peut-être qu'un événement surviendra que je n'attends pas, qui viendra complètement modifier la donne.» Et quand je le critiquais, il me disait : «Ah! Vraiment, vous êtes trop rationnel.»

Jean-Louis Bianco
Est-ce que François Mitterrand en savait plus que nous, je ne sais pas, mais j'ai eu l'impression qu'il découvrait les choses. Ensuite, c'est vrai, la gestion de la crise a consisté à attendre, à voir jusqu'où tout ça allait avant de décider ce qu'il fallait faire.

Laurent Fabius
Lorsque le *Rainbow Warrior* a été détruit s'est ouverte une nouvelle phase, celle du mensonge à l'intérieur de l'appareil d'État, en tout cas à mon égard. Il est établi maintenant qu'une espèce de mécanisme s'est mise en place, pour dissimuler la vérité envers l'extérieur et vis-à-vis aussi du chef du gouvernement. Si cela a duré quelques semaines, trop longues, c'est probablement aussi parce que, à ce stade-là, je n'ai pas suffisamment mis le poing sur la table, en disant : «Un bateau a été détruit, les indices montrent que ce sont des Français, donc vous me racontez des sornettes.»

C'est la presse qui rompt le silence lourd de sous-entendus et de rumeurs. Deux mois après l'attentat, le 17 septembre, le journal *Le Monde* révèle en première page que le *Rainbow Warrior* a bien été coulé par une équipe de militaires français. Cette révélation explosive précipite le dénouement politique de l'affaire. Se croyant couvert par le président, Hernu continue de nier avec un aplomb insensé, mais Laurent Fabius exige la démission du ministre de la Défense et finit par l'obtenir. Paul Quilès le remplace et, en quelques jours, les responsabilités de chacun sont pratiquement mises au jour, non sans que le chef de l'État ait cru bon de rendre hommage à son ami, le ministre responsable et coupable...

Roland Dumas

Quand Mitterrand a été mis en face de l'évidence, je crois qu'il ne pensait pas qu'il y aurait une crise. Alors que Fabius, lui, se rendait compte du danger. Il m'avait dit : « Le gouvernement peut sauter sur cette affaire. »

Laurent Fabius

Beaucoup d'observateurs soutiennent que Mitterrand n'y était pour rien avant, mais qu'à un moment il a su et qu'il n'a pas dû me dire exactement la vérité. Moi, je reste sur l'idée, même si elle peut vous paraître un petit peu naïve, que ce n'est qu'à la fin que Mitterrand a su ; ou bien alors peut-être a-t-il conservé une espèce d'ambiguïté, y compris vis-à-vis de lui-même. Ce que je me reproche aujourd'hui, c'est de ne pas avoir renversé la table plus tôt et de ne pas avoir été plus rapide dans la sommation faite à tous de découvrir la vérité.

Jean-Louis Bianco

Mitterrand a résisté pendant très longtemps à l'idée de demander à Hernu de partir parce qu'il l'aimait beaucoup et ne voulait pas s'en séparer. Donc je crois que sa gestion très lente de la crise a été due au fait qu'il ne savait pas, qu'il a mis un certain temps à comprendre les ramifications des détails et qu'en plus il a voulu voir jusqu'au bout s'il pouvait épargner Hernu.

Roland Dumas
Mitterrand ne voulait pas comme cela, de but en blanc, sacrifier Hernu. Toujours la fidélité! Il espérait au contraire pouvoir le sauver. Mais comment? Il aimait bien Charles Hernu. Il avait une grande confiance en lui. C'était un de ses fidèles de la «longue marche mitterrandienne». Ça lui a coûté et cela lui a fait de la peine. Il l'a revu souvent. Il m'a demandé de le voir régulièrement. Ce que j'ai fait. Et Mitterrand m'interrogeait toujours sur son état d'esprit.

Claude Estier
Je crois qu'effectivement dans cette affaire, et on peut le lui reprocher, Mitterrand a donné un exemple de ce qu'a été pour lui la fidélité à ses amis. Hernu était quelqu'un pour qui il avait une très grande affection, parce que, dans les moments difficiles, dans les moments où Mitterrand était au trente-sixième dessous, Hernu avait été un des rares fidèles qui étaient toujours restés près de lui. Mitterrand lui vouait une très grande reconnaissance. Et je pense que cette fidélité a pu jouer dans cette affaire qui aurait pu être réglée plus vite...

17

Duel au sommet

L'équipe de Matignon fait preuve de son efficacité. Fabius remplit son contrat.

La gauche remonte la pente, mais le Premier ministre est parti de trop bas pour espérer remporter les élections législatives prévues pour le printemps 1986.

Pour François Mitterrand, il est vital que la défaite de son camp soit la plus courte possible pour espérer se maintenir à l'Élysée. Pour cela, il dispose d'une arme : le scrutin proportionnel, qui était d'ailleurs une des propositions du candidat de la gauche unie, et appartient dès longtemps à la panoplie électorale des socialistes. L'opposition dénonce une manœuvre et reproche à Mitterrand de donner ainsi au Front national, qui dépasse les 15 % d'intentions de vote, une légitimité électorale. La proportionnelle est votée en juin 1985. En désaccord sur ce point – et sur quelques autres –, Michel Rocard démissionne du gouvernement.

Aux élections législatives de 1986, l'opposition ne l'emporte que de justesse. Mais le Front national de Jean-Marie Le Pen, expression de l'extrémisme fascisant, reçoit sa consécration : trente-cinq des siens siègent au Palais-Bourbon. Pour la première fois dans l'histoire de la Vᵉ République, majorité présidentielle et majorité parlementaire ne coïncident pas. D'où une « cohabitation » entre l'Élysée et Matignon – théorisée par l'un des chefs de la droite, Édouard Balladur –, en vue de laquelle le président a une carte en main : le choix du Premier ministre.

Roland Dumas

Les avis sur ce point variaient dans le petit cercle de la mitterrandie. Nous avons eu des réunions nombreuses. Il y avait ceux qui suggéraient l'appel à Giscard, que j'avais vu quelque temps auparavant, et n'était pas contre cette idée, bien au contraire. D'autres avançaient le nom de Chaban. Chaban, c'était le clan gaulliste. Il était respecté. Mais Mitterrand avait dit non. Le dernier argument utilisé fut celui-ci : « On ne contourne pas un obstacle, on s'appuie dessus. Ce sera Chirac. » C'était aussi le caractère de François Mitterrand. On ne louvoie pas. On va sur l'obstacle, on l'affronte, on s'appuie sur lui (mais il était aussi capable de ruser quand il le fallait)…

Jean-Louis Bianco

Je suis certain qu'il avait choisi très longtemps avant. Et qu'il a fait semblant d'hésiter, de tester les hypothèses Giscard, Chaban ou autres jusqu'à la dernière minute. Il y a eu un fameux déjeuner chez Mexandeau [1] où on était une douzaine et où il a fait un tour de table. Il y avait des partisans de Chaban, des partisans de Giscard, donc il a écouté un peu tout le monde, et c'est en repartant dans la voiture avec moi qu'il m'a dit : « Ce sera Chirac, appelez-le. » Il ne me l'avait pas dit avant, mais c'était évident pour moi. Et c'était évident, là aussi, sur les plans à la fois institutionnel et politique. Il y a une certaine logique dans les institutions qui est de dire – même si ce n'est pas écrit – qu'on prend normalement le chef du principal parti qui a gagné les élections (il y aura le contre-exemple Balladur). Ce n'est pas écrit, mais c'est dans la logique

---

1. Ministre des PTT.

d'une Constitution qui est quand même en partie parlementaire.

Deuxièmement, il y a une logique plus humaine ou politique qui était la motivation du choix de Mitterrand, c'est-à-dire : affrontons la difficulté en face, ne biaisons pas avec Giscard ou Chaban, car pour des raisons différentes, cela aurait été beaucoup plus commode pour lui (surtout avec Chaban auquel le liait une vieille sympathie, une vieille amitié). Ça aurait sans doute créé une cohabitation plus huilée, car au début elle a sérieusement tangué, avant de trouver son rythme de croisière au bout de quelques mois.

Donc, pas de solution de facilité, prenons la difficulté en face. Et puis la logique institutionnelle veut que l'on choisisse le chef du principal parti de la majorité. Voilà les raisons de son choix.

Claude Estier

Dans le cercle le plus proche des amis de Mitterrand, tout le monde n'était pas d'accord. Avec Mitterrand, nous étions quelques-uns à être tout à fait convaincus que c'était Chirac, et que ça devait être Chirac. Certains pensaient que ça pouvait être Giscard d'Estaing par exemple. Mais Mitterrand, lui, avait toujours considéré que c'était le principal adversaire qui devait être appelé à Matignon. Sur ce plan-là, pour ce dont j'ai pu être témoin, il n'a jamais hésité.

Paul Quilès

Le lendemain des élections, il m'a fait venir à l'Élysée, je crois que c'était par une porte dérobée, pour me consulter ; il me semble que c'était sur le Liban ou sur le Tchad. Il m'a dit : « Je ferai savoir que c'est normal que je vous consulte, puisque vous êtes encore

184

ministre de la Défense, bien que la gauche ait perdu les élections. » En réalité, il ne m'a parlé ni du Liban ni du Tchad, mais il m'a demandé mon avis sur Chirac. J'étais très fier qu'il sollicite mon avis sur le choix du prochain Premier ministre, mais je me suis complètement trompé. Je lui ai suggéré un nom... qui n'était pas celui de Chirac.

Je faisais en effet un raisonnement au premier degré et il m'a répondu : « Vous avez tout faux. C'est évidemment Chirac qu'il faut nommer. Vous allez voir ce qui va se passer. » Et il m'a décrit de façon incroyable ce qui s'est effectivement déroulé entre 1986 et 1988. Il me disait : « Vous allez voir : dans deux ans, ça sera terminé. Tout le monde aura compris. » J'avoue que je suis sorti un peu éberlué, en me disant : « On verra bien s'il a raison. »

Samedi 22 mars 1986. Le premier Conseil des ministres de la cohabitation tourne au face-à-face. L'atmosphère est à couper au couteau.

Alain Juppé
J'étais ministre délégué chargé du budget et je me souviens de son arrivée au Conseil des ministres. Très solennel, parce qu'il avait déjà cette attitude un peu, comment dire, impériale. Je crois que traditionnellement on fait le tour de table pour serrer la main des ministres et là comme on était en cohabitation il a fait l'économie de ce geste. Donc j'ai vu quelqu'un de très éloigné, de très distant.

Philippe Séguin
Ça ne s'est pas passé qu'au premier Conseil des ministres. C'était la même chose toutes les semaines.

185

François Mitterrand arrivait, il ne serrait la main de personne. Allait à sa place. On supposait qu'il avait auparavant serré la main du Premier ministre, l'actuel président de la République, en l'accueillant dans son bureau.

Moi, je n'étais pas du côté du président de la République. Mais il m'arrivait, du fait des absences et du protocole, de me retrouver du même côté de la table et de le voir passer devant moi, raide comme la justice, sans me saluer. Alors qu'il était charmant lorsque nous étions en tête à tête. Ça faisait tout drôle !

Jean-Louis Bianco
C'était une atmosphère glaciale et terrible. C'était vraiment deux mondes, même si certaines personnes qui se trouvaient face à face se connaissaient. François Mitterrand nous l'a dit et l'a raconté depuis, et les membres du gouvernement l'ont dit aussi : on avait vraiment l'impression qu'il y avait deux France qui se rencontraient, et lui était tout seul. Parce qu'il avait beau avoir deux collaborateurs à une petite table à côté, il était tout seul, vraiment tout seul. Et c'est là où, brusquement, on prend conscience d'une réalité politique. Des gens obtiennent 50,1 % des voix, ils sont le gouvernement, et lui, qui a la légitimité précédente, il est seul.

Philippe Séguin
J'ai eu le sentiment deux années durant, quand j'étais à l'Élysée, assis à la table du Conseil, que j'étais un intrus. Et nous étions trente et quelques, Premier ministre compris, à avoir le sentiment d'être des intrus. Des intrus. Des fâcheux qui n'avaient rien à faire ici, qu'on tolérait par la force des choses. Je n'ai pas

l'impression que ce soit le sentiment des ministres actuels quand ils se retrouvent face à Jacques Chirac. J'espère que ce n'est pas Jacques Chirac qui a le sentiment d'être lui-même l'intrus.

Heureusement que le président de la République arrivait en retard avec une belle régularité. J'imagine qu'il recevait le Premier ministre avec du retard, ce qui nous permettait, à nous ministres, en arrivant cinq-dix minutes avant l'heure fatidique de 9 h 30, de prendre un café, de discuter dans la salle attenante. Parce que les Conseils des ministres duraient, autant que je me souvienne, entre douze, quinze ou trente minutes. Je crois être rarement resté une heure. On s'en tenait au minimum. Il n'y avait pas de débat. Il avait été convenu une fois pour toutes que nous n'avions pas à étaler nos éventuelles divergences devant le président de la République, qui était aussi notre adversaire. Donc on s'en tenait aux communications, partie A, partie B, partie C, et on lisait d'une voix monocorde. Le président de la République prenait un malin plaisir, avec une belle régularité, à demander : « Y a-t-il des observations ? » Personne ne parlait. Parfois le Premier ministre disait deux ou trois choses et parfois le président de la République donnait son opinion : en général, c'était une attaque en piqué dont on ressortait déchiqueté.

Alain Juppé

C'était assez terrible parce qu'on ne parlait pas. C'était un peu la règle du jeu. Les choses se passaient avant entre le président et le Premier ministre ou entre le Premier ministre et ses ministres, mais le Conseil des ministres était extraordinairement formel. L'ordre du jour venait, appelait les différentes affaires et puis

187

voilà. J'y assistais très régulièrement bien que je ne fusse à l'époque que ministre délégué parce que j'étais en même temps porte-parole du gouvernement. Et donc toute ma tâche à la sortie du Conseil des ministres, je me repliais à Matignon, c'était d'expliquer que tout s'était bien passé. Et donc, pour ça, il fallait que je sache quelles étaient les petites piques distillées à partir de l'Élysée, pour les rectifier, pour aplanir les choses. C'était assez amusant.

Claude Estier
La cohabitation de 1986 à 1988, avec le recul on enjolive un petit peu, a été en fait une cohabitation dure. Cohabitation dure entre les deux hommes. Je me souviens, à plusieurs reprises, de conversations avec Mitterrand dans lesquelles il parlait de Chirac en termes extrêmement durs, je dirais presque véhéments. Il reprochait à Chirac d'être très obséquieux devant lui et de faire exactement le contraire lorsqu'il l'avait quitté.

Alain Juppé
La cohabitation a été dure parce que l'on voyait bien qu'il y avait une sortie. C'est-à-dire des élections présidentielles à la clef, et que le Premier ministre et le président de la République étaient les deux champions. Et ils commençaient à se préparer à s'affronter. J'avais de l'admiration pour le Premier ministre. Et je me disais : « Face au chef de l'État, il tient le coup. »

Philippe Séguin
Le Premier ministre manifestait un curieux mélange de révérence et de volonté, de velléité et d'agressivité. Parce qu'il avait aussi son public, c'est-à-dire ses

ministres. Tous ne faisaient pas partie de son Parti. C'était donc un très curieux tête-à-tête, mais un tête-à-tête qui tournait le plus souvent, pour ne pas dire toujours, au bénéfice du président de la République, parce qu'il y a une loi non écrite, mais absolue, qui veut qu'on ne prenne pas la parole après le président de la République.

Roland Dumas
Mitterrand m'avoua un jour, après quelques mois d'exercice du gouvernement Chirac : « Je pensais que Chirac s'userait plus vite. » C'est assez amusant comme formule. Cela me ramenait quelque peu en arrière et me confirmait qu'il avait bien pensé à tout : l'obstacle, il fallait le polir.
Mitterrand était un formidable stratège en politique. Il savait faire des prévisions. Il appréciait le jeu des uns et des autres, le rôle des personnes, la qualité des personnalités auxquelles il avait à faire et la tactique qu'il fallait adopter en fonction des uns et des autres.
Cette attitude a pu donner lieu à des commentaires désobligeants lorsque des recoupements s'opéraient, des échanges avaient lieu. Mitterrand n'était pas toujours le même avec tout le monde.

Jacques Chirac manifeste son intention d'être présent dans les grandes rencontres internationales. Jouant de ses prérogatives, François Mitterrand ne perd pas une occasion de le remettre à sa place : au bas de la tribune sur laquelle le président siège seul. François Mitterrand n'est pas du genre à laisser remettre en question le « domaine réservé » du chef de l'État – concept d'ailleurs très contestable, dû à Chaban-Delmas interprétant audacieusement la Constitution à l'usage du général de Gaulle.

Jean-Louis Bianco

Tout avait été fait pour que nous soyons coupés des sources d'informations. J'ai dû mener pendant quelques mois des batailles courtoises avec M. Ulrich, qui était mon correspondant à Matignon, pour qu'on obtienne les télégrammes diplomatiques et qu'on traite correctement le chef de l'État. Donc, il y avait une volonté de réduire, de ne pas donner les informations, qui était tout à fait en contradiction avec la lettre et l'esprit de la Constitution. Mais, par la suite, les choses se sont passées à mon avis de manière correcte. Il y a aussi des tendances du Premier ministre à vouloir s'affirmer en politique étrangère. Vous vous rappelez des incidents qu'on a eus au sommet espagnol, au sommet du G8 au Japon. Donc, après, il a compris que ce n'était pas son terrain, qu'il n'avait pas intérêt à aller sur ce terrain-là sur le plan strictement politique et qu'en plus ça donnait une très mauvaise image de la France à l'étranger.

La nouvelle majorité ayant été élue sur le thème du rejet du socialisme, la grande affaire de Jacques Chirac et de son « chambellan », Édouard Balladur, ministre de l'Économie et des Finances, est la privatisation des groupes nationalisés par la gauche en 1981. Pour gagner du temps, le Premier ministre entend opérer par ordonnances, sans passer par la voie parlementaire. Mitterrand fait connaître son opposition à cette procédure. L'affrontement est inévitable, et décisif.

Jean-Louis Bianco

Je ne comprends pas comment le Premier ministre de l'époque a pu se faire la moindre illusion. Il avait été clairement, loyalement prévenu. Et c'était évident qu'on allait en arriver là. Donc, je ne sais pas comment il a pu espérer autre chose. D'ailleurs, je ne comprends pas encore aujourd'hui pourquoi il voulait à tout prix recourir aux ordonnances. Il avait une majorité parlementaire, ce que le président lui avait dit dès le début : « Faites donc passer les choses devant votre majorité, vous en serez plus solide et moi je n'aurai pas à vous dire non. »

Alain Juppé
A cette époque-là, j'étais certes ministre, mais je n'étais pas dans le cercle rapproché de ceux qui prenaient les grandes décisions politiques. Ça s'est passé entre Chirac, Balladur, Pons et quelques autres. Alors *a posteriori* beaucoup reconstruisent l'Histoire en disant : « Moi, j'étais pour la rupture », etc. Je crois qu'il y a eu un débat sur la question de savoir s'il fallait briser là. Car la position du président était très contestable sur le plan juridique. Pour les juristes, le président signe les ordonnances. C'est un impératif. Mais, finalement, la thèse qui était essentiellement celle d'Édouard Balladur à cette époque-là, selon laquelle la cohabitation devait aller jusqu'au bout, a été assumée par Jacques Chirac.

Philippe Séguin
Je vois mal ce qui se serait passé si l'on avait tenté une épreuve de force. La démission, la grève, la crise ? C'est arrivé à une époque – mais après tout nous en étions bien responsables – qui n'était pas la plus propice pour l'ouverture d'une crise. On était à la cinquième ou sixième étape du Tour de France, et ce n'était pas le bon moment...
Je crois qu'il était dans l'ordre des choses que le président de la République n'acceptât pas de signer comme

un automate un texte qu'il n'agréait point. Il en allait tout autrement avec une loi qui eût été votée par le Parlement. Pour ma part, j'avais regretté qu'on se lance dans la procédure des ordonnances.

Le président de la République fait plier son Premier ministre. Dès lors, il ne cesse de le harceler sur tous les terrains supposés favorables.

Jack Lang
Là où j'ai eu le sentiment malgré tout de jouer un rôle politique plus actif, ce fut dans cette période assez étonnante, il faut le dire, à beaucoup d'égards, de la première cohabitation, qui, vous le savez, a été une cohabitation *hard*, une cohabitation musclée et vive. Peut-être que d'ailleurs, dans cette période, mes relations avec lui se sont un peu plus approfondies. Il a ressenti au début de la cohabitation le sentiment d'être isolé face au nouveau gouvernement et donc il avait besoin auprès de lui d'un certain nombre d'amis en qui il ait confiance. Et d'une certaine manière, je me suis retrouvé son porte-parole. Naturellement, je m'exprimais en mon nom, jamais en son nom. Mais la campagne que j'ai menée pendant un an et demi ou deux ans, d'autres aussi, contre la politique du gouvernement Chirac, la façon dont nous avons agi avec d'autres amis de SOS-Racisme, des associations étudiantes, ont contribué à faciliter les protestations étudiantes, tout cela a fait partie d'un travail auquel François Mitterrand n'était pas complètement étranger même si, là encore, il ne disait pas : « Faites ceci ou faites cela ! » Ce n'était pas un homme à imposer des directives mais je lui en parlais, je lui en rendais compte, je lui disais l'état de l'opinion tel que je le ressentais.

192

Laurent Fabius

Je l'ai vu régulièrement à cette époque. Il était toujours très secret. Il ne disait pas, en tout cas au début, qu'il allait se représenter, mais il était très déterminé, curieux de la situation politique, en particulier au sein de la gauche et du Parti socialiste. Cette curiosité-là n'était pas celle d'un homme destiné à caresser ses ânes [1] pendant le reste de sa vie. De là, beaucoup d'entre nous considérions qu'il allait se représenter.

Je me souviens précisément d'avoir plusieurs fois avec lui réfléchi tout haut – nous aimions bien procéder ainsi – aux diverses hypothèses. Il savait que je ne répétais rien de ce qu'il me disait. Et, en réalité, le problème était assez simple, une fois qu'on en avait fait le tour : lui pouvait être élu, les autres candidats de gauche auraient été battus. A partir de là, comment ne pas se présenter ? Quand vous portez sur vos épaules, non seulement la réponse à la question de savoir si vous allez être président de la République quelques années de plus, mais la réponse à la question suivante : « Ou bien je me représente et le président sera de gauche ; ou bien je ne me représente pas et la gauche sera battue », quel choix vous reste-t-il ? C'est ainsi que les choses se sont passées, en fait ; quand cette vision-là s'est décantée, il n'avait plus le choix.

Jean-Louis Bianco

Il n'en avait pas très envie. Il connaissait certainement sa maladie, dont à l'époque nous ne savions rien ; il y avait l'âge, dont il usait à mon avis avec coquetterie, c'était une vraie préoccupation. « Est-ce que je serai en état ? » Ça prend tout son sens quand on sait la maladie

---

1. François Mitterrand élevait deux ânes à Latche.

qui l'a frappé. « Est-ce que je serai en état de tenir la route jusqu'au bout du septennat ? » Puis il y a eu un drame familial, un accident dans sa famille qui lui a fait penser qu'il faudrait peut-être qu'il se consacre un peu à sa famille, à son rôle de grand-père. Donc, je crois qu'il a hésité pendant tout l'été 1987 et il a acquis la conviction – mais ça... il ne me l'a pas dit, c'est une impression que j'ai eue – qu'au fond il était probablement le seul à pouvoir gagner. Et donc si l'on voulait que l'expérience de gauche s'inscrive dans la durée, comment mieux l'inscrire dans la durée que par un double septennat, même si l'on trouve que c'est trop long, qu'en gagnant une nouvelle fois. Alors, là, la gauche deviendrait pleinement légitime et lui, François Mitterrand, aurait ajouté quelque chose à son rôle historique. Je crois que c'est ça qui l'a déterminé : « Moi seul peux gagner, en tout cas j'ai des chances vraiment sérieuses, et j'inscris la gauche dans la durée du pouvoir. »

Roland Dumas
Sa décision de se représenter en 1988 a été prise très tard mais il y pensait déjà depuis pas mal de temps. Il hésitait toujours en raison de son âge et de son état de santé. Nombreux étaient les conseillers qui lui faisaient valoir que le deuxième septennat serait trop long. Mais au fond de lui-même, je pense qu'il avait envie d'affronter cette nouvelle épreuve parce qu'il deviendrait le « recordman de la fonction ». De Gaulle n'avait pas réussi. Quand on lui disait : « De Gaulle a fait deux septennats », il répondait : « Ah ! oui, mais pas au suffrage universel. » Une phrase qui en disait long.

En mai 1988, François Mitterrand est réélu confortablement et entame son deuxième mandat à l'Élysée.

18

La cohabitation la plus difficile...

François Mitterrand avait fait campagne pour sa réélection en 1988 sur le thème conciliateur de la France unie pensant à une large ouverture vers les centristes. L'accueil négatif fait à cette main tendue l'incite à choisir pour Matignon Michel Rocard, l'homme qui incarne mieux que personne l'esprit de renouveau et de dialogue.

Tout oppose depuis trente ans les deux hommes, champions de deux gauches, de deux cultures et de deux générations. Rocard est un peu trop populaire aux yeux de Mitterrand. Mais, maintenant, il est dans la place. Son cadet a le profil qui sied à sa nouvelle stratégie. Et il ne lui déplaît pas de lever l'hypothèque, de mettre son ancien rival au pied du mur. « Rocard, dans dix-huit mois, on verra au travers », confie-t-il alors à un proche. En tout cas, le « ticket » est bien accueilli par l'opinion publique.

D'emblée, le nouveau Premier ministre, fidèle à sa méthode de dialogue, réussit un exploit : il obtient un accord sur l'avenir de la Nouvelle-Calédonie entre des hommes qui, un mois auparavant, s'affrontaient les armes à la main. La poignée de main de Matignon entre Tjibaou le Mélanésien et Lafleur le leader « caldoche » est appréciée en connaisseur par le pragmatique Mitterrand. Seul le résultat compte. Sur sa lancée, Michel Rocard fait encore adopter par l'Assemblée le RMI (revenu minimum d'insertion) et plus tard la CSG (contribution sociale généralisée). Fort d'une popularité dynamique, Rocard réussit bien.

Trop bien aux yeux de Mitterrand ? Entre l'Élysée et Matignon s'est instaurée une autre forme de cohabitation. Les deux têtes de l'exécutif ne s'aiment guère. Lorsque Rocard invite le président à Matignon, Mitterrand, assis dans le jardin, distille dans une ambiance bucolique quelques perverses cordialités avant de confier à Védrine, en parlant de l'entourage du Premier ministre : « Ces gens-là sont incultes. » (En tout cas, la culture de l'un n'est pas celle de l'autre... ce qui, précisément, les rend complémentaires.)

La présence de Rocard à Matignon va devenir insupportable au président quand le Premier ministre, qu'il a tenté de mettre en garde, se mêle des affaires du Parti socialiste, « son » parti. Voilà ce qu'il juge intolérable. Dans le tournoi échevelé du congrès de Rennes, au cours duquel s'affrontent Lionel Jospin, l'ancien premier secrétaire, et Laurent Fabius, le nouveau, chacun perdant son sang-froid, c'est un duel indirect entre le chef du gouvernement et le chef de l'État qui se déroule. Mitterrand ne pardonnera jamais à Rocard son intrusion sur ce terrain. A partir de là, la rupture est consommée et Rocard condamné sans appel.

Laurent Fabius
Rocard était un homme très apprécié de l'opinion, et l'opinion avait le sentiment qu'il était injuste qu'il ne devienne pas Premier ministre. Il en avait les qualités. N'oubliez jamais que Mitterrand était un réaliste : même s'il n'aimait pas Rocard, il estimait qu'il était juste qu'il le nommât. Ce fut un adoubement.
Ce choix était légitime, tout à fait légitime. Le choix d'un autre que Michel Rocard, à cette époque-là, aurait été perçu comme inéquitable. Vous savez, il y a des gens qui, à un moment donné, sont en situation. C'est le fameux *kairos* des Grecs.

196

Paul Quilès
La réalité, c'est que Rocard était assez populaire à l'époque et qu'il représentait quelque chose. Dans l'idée de Mitterrand, le rassemblement qu'il avait voulu faire en 1988 était un rassemblement qui allait au-delà des frontières de la gauche. Il se disait : « Pour être crédible, si je veux rassembler au-delà des frontières de la gauche, comme je l'ai promis pendant la campagne avec "la France unie", il faut d'abord que je rassemble les miens. Alors, puisque Rocard est populaire, je le nomme Premier ministre. »

Jean-Louis Bianco
Il y a un déjeuner à l'Élysée avec Rocard, Bérégovoy et moi : que va-t-on faire, les élections, les échéances, l'Europe, la Nouvelle-Calédonie, le Premier ministre ? Jouant un peu avec nos nerfs, Mitterrand a annoncé sa décision à Bérégovoy, devant Rocard : « Affectivement, c'est vous que j'ai envie de nommer Premier ministre mais, politiquement, c'est Rocard qui est en situation et c'est donc lui que je vais nommer. » Ce qui était finalement très honnête, même si c'était un peu cruel pour Bérégovoy, il l'a dit comme ça.
François Mitterrand disait très souvent : on est en situation ou on n'est pas en situation. On est en situation d'être Premier ministre ou on n'est pas en situation. C'est impalpable, l'histoire d'un homme, une circonstance, l'opinion publique, les rapports de force. Et il a estimé qu'en 1988 Michel Rocard était en situation. Et lui seul, parce qu'il avait fait sa campagne « France unie », donc il incarnait une image de réconciliation, d'ouverture, peut-être mieux que d'autres dirigeants socialistes. Alors beaucoup de gens disent – et je pense que c'est peut-être l'intime conviction de

197

Michel Rocard aujourd'hui – qu'il l'a nommé pour le plomber. Ce n'est pas tout à fait juste de dire : on va prendre quelqu'un comme Premier ministre, le premier Premier ministre du deuxième septennat, avec pour seul objectif – pardonnez-moi l'expression – de lui faire la peau. Et puis, comme j'ai eu l'occasion de le dire à Michel Rocard et à ses amis, si François Mitterrand était pour eux un homme aussi haïssable, ce n'était pas très difficile de dire non, de ne pas vouloir être le Premier ministre de cet homme-là. Donc, c'est que Michel Rocard aussi pensait pouvoir y trouver son compte.

Claude Estier
Je crois que Mitterrand n'avait pas confiance dans les capacités de Rocard d'être un président de la République et d'être un véritable leader capable de diriger la politique du pays. Il n'a jamais eu cette confiance. Je ne crois pas qu'il avait une hostilité particulière, mais surtout un manque de confiance. Je me souviens, il m'a dit un jour : « Rocard ne sera jamais capable. » En 1988, Mitterrand, réélu, appelle Rocard à Matignon. Et je me souviens lui avoir dit : « Pourquoi avez-vous appelé Rocard à ce moment-là puisque vous n'avez pas confiance en lui ? » Il m'a répondu qu'il ne pouvait pas faire autrement parce que c'était lui l'homme de la situation. Effectivement, à ce moment-là, c'était Rocard. C'est une longue histoire de méfiance réciproque. Certains ont dit : de haine. Mais je crois que chez Mitterrand, c'était surtout, justifié ou pas – je ne porte pas de jugement – un total manque de confiance dans les capacités de Rocard.
Il y a une certaine part d'injustice. D'abord, il y a eu la Nouvelle-Calédonie qui a été quand même une réus-

site, il y a eu un certain nombre de mesures sociales, le RMI. On ne peut pas dire que Rocard n'ait rien fait. Simplement, je crois que, dans les derniers mois, Rocard a beaucoup hésité à s'engager dans les affaires de sécurité sociale, de retraite, et que Mitterrand lui reprochait à ce moment-là un peu son immobilisme. Pour être tout à fait honnête, je pense qu'ils ont été injustes l'un envers l'autre.

Laurent Fabius
Je ne vous livrerai pas une immense révélation en vous disant que François Mitterrand avait peu d'atomes crochus avec Michel Rocard. Même s'il lui reconnaissait beaucoup de qualités : intelligence, vivacité, sentiments aigus sur la société, mais clairement, ce n'était ni son poulain ni son style. Ils s'étaient combattus durement de part et d'autre. Mitterrand était attaché à ce que ce soit sa famille au sein de la gauche, au sein du Parti socialiste, qui l'emporte. Pour le reste, entre tel ou tel, par exemple pour ce qui est de son choix entre Lionel Jospin et moi-même, les choses sont plus compliquées. Mitterrand éprouvait de l'estime pour Jospin, même s'il a été blessé à certains moments de sa vie par certaines attitudes, certaines oppositions qui ont pu exister entre eux. Il avait de l'estime et de l'affection pour moi, même s'il jugeait que j'avais certains défauts. Il n'avait peut-être pas tort. Mais Mitterrand aurait certainement souhaité que les choses au Parti socialiste tournent différemment. En même temps, peu d'hommes politiques peuvent accepter l'idée d'avoir un dauphin. Parce que voir son dauphin, c'est voir sa propre mort.
Mitterrand faisait le maximum pour que les événements se déroulent comme il le souhaitait. Y compris

sur le plan des personnes. Mais ensuite, c'était à la vie de faire les choix. A l'égard de ses grands adversaires comme de ses petits opposants, à l'égard de ses vrais amis comme à l'égard de ceux qui se sont éloignés de lui, il reconnaissait toujours, en définitive, à celui qui gagne le talent d'avoir gagné. Lorsqu'il a nommé Rocard Premier ministre, on a dit qu'il l'avait nommé pour lui faire un croc-en-jambe. Non. Il l'a nommé parce qu'il trouvait légitime de le nommer. Même s'il ne l'aimait pas. Il ne l'aimait pas, mais il reconnaissait ses qualités, les qualités de celui qui avait su, avec succès, s'opposer à lui.

Jean-Louis Bianco
Je suis un des seuls à dire ça, tellement les jalousies et les haines sont fortes dans les deux camps, mais il me semble qu'il y a eu des moments où il a vraiment apprécié Michel Rocard comme Premier ministre. Rocard a parfois été touché de l'attention (il a eu à un moment donné des douleurs aux reins) que François Mitterrand lui a portée. Je n'arrive pas à croire que tout cela soit pur calcul ou pure apparence. Comme d'ailleurs il a découvert Jacques Chirac Premier ministre, si je peux oser cette comparaison, en me disant : « Il a du caractère, il a du courage, il est sympathique. » Il m'a dit ça à des moments où ça chauffait entre eux. Donc il savait reconnaître quand même les qualités de Chirac et de Rocard.

Laurent Fabius
Je crois qu'il y a au moins deux visions de la politique. Mitterrand est un réaliste mais, en même temps, il croit à la politique et il croit par-dessus tout à la volonté. Une volonté, des hommes et des femmes, un

groupe, des idées, lorsque que ce groupe est investi du gouvernement, cet ensemble est capable de transformer la réalité. Pour Mitterrand, il existe des rapports de force, il faut savoir en user, la société est lutte, le pouvoir permet de transformer les réalités. Rocard, lui, a une vision différente de la société, non pas irénique, mais dans laquelle le conflit tient moins de place, où les rapports sociaux, les corps sociaux doivent s'ajuster pour parvenir à trouver les solutions. L'État doit se limiter à être le facilitateur de ces solutions. Du même coup, la place du politique est différente. Pour Mitterrand, « le politique, c'est l'instance suprême, celle qui décide ». Pour Rocard, « le politique, c'est important, mais moins important que le social ». Il dirait plutôt « le sociétal ». Deux conceptions qui ont chacune leur mérite mais qui, fondamentalement, les opposent.

En fait, l'Histoire a tranché... Historiquement, c'est Mitterrand qui a été en situation de faire valoir son point de vue. Dans la réalité, les faits ont appris à Rocard que l'instance politique, le pouvoir d'État étaient évidemment très importants. A Mitterrand, la réalité a appris qu'il n'était pas suffisant de détenir le pouvoir d'État, qu'il existait un jeu social complexe. Mitterrand s'y est heurté plusieurs fois, il a dû reculer devant l'évolution de la société. Donc, au fond, la synthèse s'est opérée. Mais elle s'est opérée souvent dans l'affrontement.

Le 10 mai 1991, Mitterrand fête ses dix ans à l'Élysée. Son comportement pendant la guerre du Golfe, au cours de laquelle il a manifesté son autorité intellectuelle et son esprit didactique, lui donne un nouvel élan. A Matignon depuis trois ans, Rocard ne s'est pas usé aussi vite que l'escomptait le président. Mais

MITTERRAND – LE ROMAN DU POUVOIR

son sort est scellé sous prétexte qu'il manque d'énergie. En un tournemain, Matignon change de titulaire. Le 15 mai 1991, Édith Cresson est substituée à Michel Rocard. En nommant, pour la première fois en France, une femme au poste de Premier ministre, le président veut provoquer un choc dans l'opinion.

Hubert Védrine
Ce choix a étonné pas mal de gens autour de lui chez les dirigeants socialistes. Un président de la République ne choisit pas un Premier ministre pour des raisons de sécurité. Je crois que son raisonnement de l'époque et donc dix ans après le début, c'est la recherche du volontarisme ! Il est là depuis dix ans, il est habité par l'idée que la politique commande aux éléments en quelque sorte, il est l'incarnation de la persévérance, de la volonté, de l'obstination, de la ténacité. Il voudrait que les choses plient. Il a dû transiger d'une certaine façon avec ça en mars 1983. Et il a transformé les contraintes en une sorte de socle à partir duquel une nouvelle volonté européenne s'est développée. Et globalement au bout de dix ans... j'interprète parce qu'il ne m'a jamais dit les choses en ces termes, mais c'est ce que j'ai ressenti, il y a quand même l'idée que la société est extrêmement lourde à faire évoluer, que l'appareil d'État, même si on le change, on le modernise, on le réforme, il est toujours là, que les gens conservent éternellement les mêmes mentalités. Il y a chez lui une sorte d'énervement par rapport aux changements, une attente par rapport aux réformes qu'il faudrait faire. Il prête alors une oreille très attentive à ceux qui lui parlent dans ce sens, dans des genres différents, ça peut être aussi bien Michel Charasse avec son style qu'Édith Cresson qui concentre

son énergie sur un point, qui dit : « La difficulté vient de ça, il n'y a qu'à faire sauter ce verrou, faire ceci, faire cela, virer un tel, etc. » Il est très réceptif à ce discours qui correspond au type de politique et au type de relance qu'il veut mener.

Jean-Louis Bianco
C'est une idée de lui seul et certainement contre l'avis de ses conseillers et de ses collaborateurs qui ne voyaient pas Édith Cresson dans cette fonction. C'est donc vraiment un choix totalement personnel de sa part fondé sur deux idées. Quelqu'un – d'ailleurs il l'a dit publiquement là aussi – qui va secouer, qui va animer le débat, qui va être anti-*establishment*, qui va faire bouger des choses, qui a des convictions socialistes mais qui passe très bien auprès des chefs d'entreprise parce que c'est une femme d'action, qui a été un très bon ministre du Commerce extérieur. Et puis une femme ! Il se dit : « Je vais me sentir en pleine harmonie avec elle, alors qu'avec Rocard ce n'était pas facile, on ne s'entendait pas, pour ne pas dire pire. » Voilà, donc c'était son choix, fait, je dirais, contre tout avis.

D'abord assez bien accueillie par l'opinion, Édith Cresson, qui n'a pas l'art de déjouer les pièges que lui tendent « amis » et ennemis, s'enfonce rapidement dans l'impopularité, y entraînant avec elle le président. Ni les caciques socialistes, ni les journalistes, ni bien sûr la droite ne la ménagent. On ricane. Mais plus elle est attaquée, vilipendée, plus Mitterrand se cabre, s'irrite et s'opiniâtre. Il finit néanmoins par s'incliner devant le poids de la réalité. Onze mois après son arrivée à Matignon, Édith Cresson cède la place au ministre des Finances Pierre Bérégovoy, qui rêve d'accéder à ce poste depuis 1981 et n'a cessé, depuis sa forteresse de Bercy, de lui « savonner la planche ».

Claude Estier

Mitterrand avait une très grande estime, une très grande amitié pour Édith Cresson et il avait pensé en la propulsant là, et en la soutenant comme il pouvait la soutenir depuis l'Élysée, qu'elle pourrait réussir. Je crois qu'il s'est aperçu assez rapidement, y compris dès son premier discours d'investiture qui a été un ratage, que c'était une erreur de distribution. Effectivement. Mitterrand a continué à la soutenir parce que, encore une fois, il n'abandonne pas ses amis.

Et donc elle a dérapé assez vite. C'est dommage d'ailleurs, parce que je pense que le fait qu'une femme devienne Premier ministre en France avait créé un choc important.

Hubert Védrine

Il s'irrite des résistances et il considère que celles qu'Édith Cresson rencontre sont dues à la malveillance, à la jalousie de ceux qui n'ont pas été choisis comme Premier ministre, ou ceux qui n'occupent pas les positions ministérielles qu'ils espéraient occuper. Il estime qu'on est plus dur avec elle qu'avec un homme qui occuperait les mêmes fonctions, qui aurait les mêmes défauts à côté des mêmes qualités. Tout cela fait qu'il résiste aux indications qui lui sont données par certains membres du gouvernement, par certains dirigeants socialistes qui disent que ça ne marche pas, ça n'embraye pas. Pendant quelques mois et quand même au total pendant moins d'un an, il maintient ce choix, c'est d'ailleurs difficile de faire autrement, car il y a des élections après. C'est un moment difficile. Je crois qu'il a la conviction que la politique française, la gauche, le gouvernement ont besoin du type d'im-

204

pulsion très radical qu'il attend d'une Édith Cresson. Il voit bien que ça ne marche pas quand même, et je crois qu'il en est très déçu.

François Mitterrand est resté jusqu'à la fin, sur certains plans, un rebelle. Il n'acceptait pas complètement l'ordre établi, ça paraît risible de dire ça de quelqu'un qui a été élu deux fois président de la République, je pense aux photos officielles, aux cérémonies. Au fond de lui-même, c'est resté quelqu'un qui ne voulait pas se plier aux choses.

19

Au pied du mur

Juin 1984. L'avion présidentiel atterrit à Moscou. François Mitterrand, qui a expulsé l'année précédente quarante-sept diplomates soviétiques fortement soupçonnés d'espionnage, veut renouer le dialogue avec les dirigeants du Kremlin – pour l'heure occupé par le vieux Constantin Tchernenko, tsar rouge en sursis. Le président français entraîne sa cohorte d'invités et d'experts dans une balade à travers l'URSS, de la place Rouge à Stalingrad. Lors du dîner officiel sous les ors du Kremlin, il ose demander justice pour Sakharov, l'illustre physicien contestataire alors emprisonné. C'est à cette occasion que le président de la République fait la connaissance d'un certain Mikhaïl Gorbatchev, qui commence à se faire une réputation d'« homme nouveau », peut-être capable de créer l'alternative.

Hubert Védrine
Gorbatchev est là, à la table, il est chargé de l'agriculture à l'époque. Il est un tout petit peu connu parce qu'il a fait un voyage en Grande-Bretagne où Mme Thatcher l'a apprécié. Et c'est le discours où François Mitterrand parle de Sakharov et évoque toute une série de sujets de désaccord. Cela impressionne évidemment la presse mondiale à l'époque parce que c'est la première fois que quelqu'un s'exprime ainsi au Kremlin. Et d'ailleurs tous les visiteurs ultérieurs devront faire la même chose. Autour de la

206

table, il y a une discussion sur le thème : « Vraiment, l'agriculture, ça ne marche pas, c'est très embêtant, les récoltes sont en retard, la productivité s'effondre... » Quelqu'un demande depuis quand ça ne marche pas comme ça. Et Gorbatchev répond : « Ça ne marche pas comme ça depuis 1917 », ce qui traduit tout du moins une liberté de ton nouvelle. Bon ! Première rencontre anecdotique. La vraie rencontre entre François Mitterrand et Gorbatchev, c'est en mars 1985, quand Gorbatchev devient à son tour le secrétaire général du Parti.

Moins d'un an plus tard, Gorbatchev devient premier secrétaire du PCUS, c'est-à-dire le patron de l'URSS, et lance la *perestroïka* et la *glasnost*. Très vite, le président français appuie le nouveau maître du Kremlin dans sa tentative de réformer le système communiste.

Hubert Védrine
François Mitterrand a été convaincu tout de suite, dès mars 1985, que Gorbatchev était fondamentalement différent et qu'il voulait vraiment réformer le système en profondeur. Mais Gorbatchev croyait encore en la possibilité d'inventer un communisme moderne. Il pensait pouvoir le faire en URSS, mais aussi en Europe de l'Est. Je ne pense pas que Mitterrand croyait en cette possibilité mais il ne l'écartait pas complètement. En tout cas, s'agissant de l'homme Gorbatchev, il a été convaincu tout de suite de sa détermination. Il n'a pas perdu un an, un an et demi, deux ans, trois ans, comme les dirigeants d'autres pays, à se demander si ça n'était pas une ruse, une tactique du KGB.
Mitterrand pensait que ce qu'allait tenter Gorbatchev

était bon pour l'URSS, était bon pour nous! Et que c'était la meilleure chose possible, mais, en même temps, il appréciait son sens des responsabilités par rapport aux conséquences du changement. Il voyait bien que Gorbatchev ne maîtrisait pas les mécanismes de l'économie et que sa rhétorique politique tournait un peu à vide. Il voyait bien que la *glasnost*, c'est-à-dire la libération de la parole, allait beaucoup plus vite que la *perestroïka*, la réforme qui en fait n'avait pas lieu. A un moment donné, il a bien vu que Gorbatchev commençait à s'inquiéter du réveil des nationalités et des risques de séparatisme qu'il comportait. Et il a commencé à être inquiet sur la suite des choses pour Gorbatchev. Il n'a jamais varié sur l'idée simple que la politique menée par Gorbatchev, quelles que soient ses chances de succès, était la meilleure possible pour nous. Donc, il est resté fermement engagé dans ce soutien jusqu'au bout.

Je me rappelle qu'un jour, à Paris, au printemps 1988, je revenais avec le président d'une manifestation quelconque, on est rentrés par le fond du parc, on a traversé la pelouse pour aller à l'Élysée, et là il m'a dit: «Tout va changer, ça va s'accélérer, je veux aller dans tous les pays d'Europe de l'Est. La France n'est pas assez présente, il faut qu'elle le soit plus, notamment par rapport aux bouleversements qui s'annoncent.» Et je lui ai dit: «Vous savez que les Allemands souhaitent beaucoup que nous ayons une politique coordonnée.» Il m'a répondu: «Raison de plus, il faut qu'on ait quelque chose à coordonner.» Et on a discuté du fait de savoir s'il fallait attendre les changements ou pas. «Je ne veux pas attendre, je veux y aller tout de suite! a-t-il dit. Et de toute façon, dans tous ces pays, je verrai tout le monde! Je verrai les dirigeants qui sont encore là et puis je verrai les autres, l'opposition, les intellectuels, la contestation. Et puis j'y retournerai s'il le faut!» Ce qu'il a fait d'ailleurs dans certains pays comme la République tchèque (le petit déjeuner avec Havel). Donc il y a eu un plan d'ensemble très simple. Dès qu'il a décidé à ce moment-là, au printemps 1988, qu'il irait partout! De la Pologne à la Bulgarie!

Il y avait une anticipation du changement, il voulait accompagner le changement, être là, que la France soit là et qu'elle puisse contribuer avec l'Allemagne à déterminer une sorte de cadre d'avenir.

C'est en juillet 1989 que, dans une interview au *Nouvel Observateur* et à trois autres journaux européens, François Mitterrand, à qui on demande : « Mais quelle est votre position par rapport à l'aspiration allemande à l'unité? », répond : « Mais l'aspiration des Allemands à l'unification ou à la réunification est tout à fait normale, à condition que ça se déroule démocratiquement et pacifiquement. » Déjà, la position est clairement fixée. Après, il y a la question de la mise en œuvre parce que, démocratiquement, cela veut dire qu'il faut des votes dans les différents pays concernés ou dans les deux parties de l'Allemagne. Et, pacifiquement, cela veut dire qu'il faut avoir réglé, avant la réunification, tous les problèmes issus de la Seconde Guerre mondiale qui sont encore en suspens : les traités de paix, la question des armées, le nucléaire, le statut de Berlin, etc. Et donc tout ça a déjà été mijoté, si je puis dire, mûri en 1989, déjà même en 1988, bien avant la chute du Mur.

Dans la nuit du 9 au 10 novembre 1989, la foule berlinoise s'amasse devant le mur qui, depuis 1961, divise l'ancienne capitale de l'Allemagne et l'Europe, et entreprend sa destruction sans provoquer de réaction à l'Est. Ce séisme bouleverse tous les repères sur lesquels repose l'équilibre mondial de l'après-guerre. Le président français – qui à diverses reprises, et encore six jours plus tôt à Bonn, a fait connaître son approbation à une réunification pacifique de l'Allemagne – se montre prudent, mais moins réticent qu'on a dit, devant cette accélération d'un processus qu'il a déclaré inéluctable. N'a-t-il pas manqué d'accomplir le geste, de prononcer les mots manifestant l'adhésion de la France?

Jean-Louis Bianco
On s'est interrogés longuement avec Mitterrand sur le point de savoir s'il fallait ou pas qu'il propose d'être présent, lui, François Mitterrand, c'est-à-dire la France, au moment où ce mur allait s'abattre. J'étais très partisan de cette idée. Lui a sûrement été très tenté, mais il a dit: «Je ne serai pas à ma place, c'est une affaire entre Allemands.» Je crois que si Kohl le lui avait proposé, il aurait été le plus heureux des hommes. Mais Kohl ne le lui a pas proposé, ce qui se comprend, c'est effectivement une affaire entre Allemands.

Élisabeth Guigou
Mitterrand a surestimé la résistance russe. Il l'a dit d'ailleurs. Il a sous-estimé la faiblesse de la Russie. Il pensait que Gorbatchev se mettrait en travers de l'unification allemande. Ce que Gorbatchev n'a pas fait. Les Russes étaient tellement aux abois que Kohl a donné de l'argent pour les troupes soviétiques qui étaient encore en Allemagne. Ça, Mitterrand nous l'a dit à plusieurs reprises: «J'ai sous-estimé la faiblesse russe.» Mais, en même temps, il tenait compte de cette donnée qu'il avait mal appréciée.

Un mois après la chute du Mur, le président persiste à faire une visite en Allemagne de l'Est prévue depuis longtemps. Il est vrai qu'à Washington, on prépare une conférence incluant l'Allemagne de l'Est, encore considérée comme un interlocuteur s'agissant de l'avenir de l'Allemagne. Mitterrand surévalue les chances de survie de la RDA qui n'est plus qu'un cadavre en décomposition. Ce faux pas est vu comme un croc-en-jambe fait à Kohl engagé dans la course à l'unification, plus vite peut-être qu'il ne le prévoyait lui-même, entraîné qu'il est par les succès électoraux de ses amis chrétiens démocrates de l'Est.

Alain Juppé
Je crois qu'il n'a pas vu que le processus qui était enclenché ne serait arrêté par rien, pas même par le réalisme diplomatico-politique. Je me souviens d'être allé à cette époque-là aux États-Unis, j'étais donc député de l'opposition, secrétaire général du RPR, et j'avais un peu regardé ce qui se passait à Washington. Et à Washington la conviction que le mouvement était inarrêtable était très généralement répandue. Nous, nous nous disions : « Mais Gorbatchev ne laissera jamais faire. » Et à Washington, on nous disait : « Gorbatchev n'y peut rien. » Et ça Mitterrand ne l'a pas vu. Mitterrand ne l'a pas vu alors que le processus était enclenché, et on a eu vraiment le sentiment qu'il essayait encore de tergiverser, de trouver des solutions moyennes. Souvenez-vous de son voyage en Allemagne de l'Est, qui a été si critiqué et à juste titre je crois. Il a à la fois, comment dire, déçu les Allemands ou introduit un coin dans l'entente franco-allemande et manqué, je crois, de sens de la vision historique et la possibilité de placer la France aux avant-postes.

Élisabeth Guigou

Je crois qu'il y a eu une ou deux erreurs qu'il aurait pu éviter. Par exemple, d'aller en Allemagne de l'Est, encore qu'il en avait prévenu Kohl. Ce n'était pas un signal très opportun à ce moment-là. Mais je suis convaincue, parce que j'ai quand même assisté à toutes les conversations entre Mitterrand et Kohl à cette époque-là, je suis convaincue que jamais il n'a mis de frein à ce processus d'unification. D'abord parce qu'il était trop féru d'histoire pour imaginer que quoi que ce soit puisse être fait contre. Il nous disait souvent : « Les Russes se mettent en travers, mais ça se fera. Parce que c'est la logique de l'histoire. Parce qu'il est logique que les Allemands veuillent se réunifier. Parce que, après tout, ils y ont droit. A la condition que cela se passe démocratiquement et pacifiquement. »

Gilles Martinet

Il a été en quelque sorte mis en difficulté par l'unification de l'Allemagne et par la chute de l'Empire soviétique. Parce que sa politique étrangère s'appuyait d'une certaine manière sur l'existence du monde communiste. Mitterrand souhaitait une libéralisation du régime. Il n'en souhaitait pas l'écroulement. Parce que, dans la politique de la France vis-à-vis des États-Unis et vis-à-vis de l'Allemagne, il était très important qu'il y ait un monde communiste uni. Ses réactions sur l'unification allemande sont très significatives. Il est pris à contre-pied par l'évolution des événements. Il ne peut plus jouer de la même façon avec l'Allemagne. Il n'a pas de politique de rechange. La politique étrangère gaullo-mitterrandienne est mise à mal.

Hubert Védrine
Il était à la fois réellement ému, tout en se verrouillant contre cette émotion par rapport à ce fleuve de la liberté. En même temps, il avait une anticipation aiguë que le monde vers lequel on allait serait infiniment plus compliqué à gérer pour la France que le monde des années 1945-1989, ce qui est vrai! Les gouvernements français de la IVe et surtout de la Ve et les présidents avaient très bien géré cette situation du monde bipolaire dans lequel la France était un allié du monde occidental très engagé et très sûr, notamment dans les grandes crises, et très autonome et très libre dans les temps plus ordinaires. Il y avait une sorte de rente de situation. Et il y avait une situation qui faisait de la France en Europe, sans effort, une sorte de leader. Ça allait de soi en quelque sorte! Et Mitterrand a eu l'intuition à ce moment-là que, dans le monde où nous étions, ce que nous appelons maintenant le monde global et que lui a commencé à voir dès 1989-1990, tout serait plus dur! Tout serait à conquérir. Il n'y aurait aucune situation tranquille et les Français allaient s'apercevoir que l'Olympe sur laquelle ils se croient situés était en réalité dans un champ de force et de compétition. Donc j'ai senti chez lui une tension extrême, passionnante à observer, impressionnante, bouleversante à certains moments, sa mémoire historique, cette capacité à se projeter dans l'Histoire lointaine, une certaine souffrance en tant que Français, en même temps, une confiance vraie dans la relation franco-allemande.

François Mitterrand incarne une certaine angoisse française face à une Allemagne recouvrant sa puissance. Il craint surtout que la réunification de l'Allemagne ne remette en cause les frontières héritées de la Seconde Guerre mondiale, en particulier la ligne Oder-Neisse entre l'Allemagne et la Pologne – ce qui constituerait une menace pour la paix.

Jean-Louis Bianco
Sur l'Allemagne, dès le début, il a un discours public qui est exactement son discours privé, quand il parle avec Roland Dumas, avec moi, avec Védrine, avec ses collaborateurs, qui est évidemment qu'il faut que ça se fasse. Il avait même déjà dit à Kohl, des années auparavant, à Latche, que ça se ferait et qu'il fallait que ça se fasse. Que c'était le sens de l'Histoire que ces deux peuples retrouvent, ou mieux que ce même peuple retrouve une patrie. Donc pour lui, c'est évident. C'est évident avant même d'être bien ou mal. C'est là où il a un jugement froid, un jugement réaliste. C'est évident que ça doit se faire. En plus, c'est bien pour les Allemands et, à certaines conditions, ça peut être bien pour l'Europe. Alors à quelles conditions ? Et c'est là tout le débat. Ce qu'il voulait, c'était qu'on règle définitivement la question des frontières. Notamment la frontière entre l'Allemagne et la Pologne. Et puis qu'il soit clair que l'Allemagne restait soudée à l'Europe, mais c'était aussi le souci du chancelier.

Et pendant très longtemps, Kohl est resté ambigu sur la question des frontières avec la Pologne. C'est ça le point central. Et je crois que, du côté français, nous comprenons bien pourquoi il est ambigu. Parce que, dans ce grand mouvement difficile d'unification pour l'Allemagne, le plus dur, c'est d'accepter pour les Allemands de renoncer définitivement aux terres d'au-delà de l'Oder, c'est comme pour nous l'Alsace et la Lorraine. Et donc Kohl ne le lâche qu'au dernier moment.

214

Et je crois que Mitterrand n'a jamais eu de doute sur la conviction de Kohl, mais il voulait le forcer à être tout à fait clair là-dessus, sur l'ancrage de l'Allemagne dans l'Europe, que ce soit public, que ce soit consensuel en Allemagne et sur la frontière. Et donc, il le dit dès le départ publiquement : c'est ça, ma condition centrale. Et cette condition, en effet, est réalisée.

C'était d'autant plus difficile pour Kohl que toute une partie des électeurs chrétiens démocrates et chrétiens sociaux de Bavière sont d'anciens réfugiés ou des familles d'anciens réfugiés, pour qui l'idée était qu'un jour ou l'autre avec l'unification on allait reconquérir ce terrain-là. Donc c'était le plus dur à lâcher. C'est quelque chose qu'on sous-estime complètement en France.

Élisabeth Guigou

François Mitterrand avait dit : « On ne peut pas toucher aux frontières issues de la dernière guerre », et il trouvait, sans doute, que Kohl laissait un peu trop faire. Car, il ne désavouait pas les déclarations de Weigel, son ministre des Finances, qui disait qu'il fallait qu'on repousse les frontières vers l'est. Il y a eu une pression formidable. Donc, on a eu des discussions sur la notion d'intangibilité des frontières issues de la guerre. Et je me souviens très bien que c'est au sommet européen de Strasbourg, donc début décembre 1989, pour clôturer la présidence française, que le texte sur l'intangibilité des frontières a été adopté. Ce soir-là, après le dîner, il y a eu un moment très très difficile. Mais pas entre François Mitterrand et Helmut Kohl. C'est Andreotti[1] qui a commencé à

1. Alors chef du gouvernement italien.

lancer l'offensive en disant à Genscher : « Il faut vraiment que vous donniez votre accord à ce texte, on a besoin d'avoir ces garanties », relayé par Margaret Thatcher et ensuite Dumas. Le président a donné la parole à Roland Dumas qui, à sa façon très subtile, a insisté sur l'intangibilité. Il y a eu un moment de très grande tension, parce qu'on sentait bien que Genscher résistait. Et qu'il résistait avec l'aval de Kohl. Mais celui-ci a fini par céder, ça s'est dénoué en tout cas à ce moment-là.

C'est également au Conseil de Strasbourg, en décembre 1989, que se produit le coup d'accélérateur de la construction européenne : plus d'Allemagne doit signifier plus d'Europe. L'unification allemande sera le facteur de la coagulation européenne. L'attelage Kohl-Mitterrand, nonobstant ses dissonances et désaccords, tire l'Europe vers l'union politique dont la monnaie unique sera la première manifestation. L'aboutissement du processus ouvert par la chute du Mur est le traité de Maastricht qui fonde l'Union économique et monétaire et jette les bases, encore floues, de l'union politique en matière de défense et de politique étrangère commune.

Hubert Védrine
Son obsession numéro un, c'était de faire en sorte que les changements en Europe, l'effondrement des régimes communistes et les retours à la démocratie et la réunification allemande renforcent la construction européenne. Voilà son vrai fil conducteur. Il met tout son poids dans le fait d'arracher à Helmut Kohl l'engagement décisif sur la monnaie, comme si c'était le dernier moment possible ! Il était animé par cette conviction. Il y a donc un moment de vérité qui dure trois ans pendant lequel François Mitterrand essaie de canali-

ser cette force irrésistible, historique, qui est la réunification allemande, pour qu'elle donne un coup d'élan, même une accélération à la construction européenne à travers l'unification de la monnaie, acte politique par excellence et le domaine disponible dans lequel on peut faire l'avancée la plus décisive. Dans mon souvenir, tout est totalement lié dans cette période-là.

Élisabeth Guigou
Ce qui est vrai, c'est que certainement les Allemands ont accepté la monnaie unique parce qu'il y avait cette perspective d'unification. Et Kohl le leur expliquait d'ailleurs. Il leur disait : « L'unification et l'Europe, c'est les deux faces d'une même médaille. »

Jean-Louis Bianco
Donc il fallait bien que cette unité recouvrée du peuple allemand s'accompagne d'un ancrage fort dans l'Europe. L'accélération de la construction européenne, la monnaie unique, c'est la réponse de Mitterrand, de Kohl et de quelques autres aux craintes que pouvait légitimement faire naître cette reconstitution d'une très grande puissance allemande. On sous-estimait un peu à l'époque l'énorme difficulté de la reconstruction à l'Est. Donc c'est la conséquence directe d'une volonté commune d'ancrage de l'Allemagne dans l'Europe. Et pour toujours, on l'espère.

Jacques Delors
Nous avions réussi à convaincre tout le monde de la nécessité de l'Union économique et monétaire. Il faut comprendre ça en quelques mots. Lorsque je suis arrivé à la commission, on avait réglé les contentieux. Il s'agissait de relancer l'Union européenne. J'ai pro-

posé plusieurs pistes de relance. La seule qui ait obtenu l'accord des dix pays était très simple : et si l'on faisait un vrai marché unique pour stimuler nos entreprises ? Donc, il y a eu le marché unique. On a changé le traité. Ça m'a permis d'y ajouter des dispositions concernant le social, quoi qu'on en dise, l'environnement, la solidarité entre les régions. Et, en 1988, l'économie européenne avait repris de l'allant. Elle était stimulée par l'objectif de la réalisation du marché unique en 1992. Nos chefs de gouvernement étaient dans une certaine euphorie. On créait des emplois, on n'en perdait plus. Et c'est là où on a commencé à dire : « Mais peut-on faire un marché unique sans une monnaie unique ? »

En 1988, on m'a demandé de présider un comité des gouverneurs de banques centrales pour esquisser l'Union économique et monétaire et, à ce moment-là, François Mitterrand a dit : « Voilà l'élément qui va nous permettre d'aller plus loin que l'objectif 92 du marché unique. » Il en a fait sa chose et il a même expliqué à ceux qui étaient réticents : « Je préfère partager la gestion de la monnaie avec nos partenaires, plutôt que d'être sous la domination du deutschemark. » Donc il a fait le pas supplémentaire. Mais comment faire cette union économique et monétaire alors que le chancelier Kohl disait : « Je ne peux accepter la monnaie unique sans la perspective de l'intégration politique » ? On a d'ailleurs vu les réticences de la population allemande pendant des années. Il en résulte deux traités ou deux parties du traité, l'un sur l'union économique et monétaire, où l'on a repris le cadre que nous avions proposé, et l'autre sur la partie politique où ont commencé mes divergences avec François Mitterrand, puisque je n'étais pas d'accord sur la philosophie et le contenu de cette partie.

Ils ont décidé de constituer l'union européenne en trois piliers. Un pilier économique et social pour aller vite, un pilier politique étrangère et de sécurité et un pilier sécurité des citoyens et affaire intérieure. Je considérais que la constitution en piliers allait freiner la construction de l'Europe, allait diminuer nos atouts, puisque nous n'aurions pas tout dans la même main. J'avais opposé à la conception par piliers la conception d'un arbre avec plusieurs branches. Des branches – pour aller jusqu'au bout de cette image – qui auraient plus ou moins de force, qui pousseraient plus ou moins vite. Et là j'ai été battu. La commission était derrière moi, nous avons fait des notes, mais nous avons été battus par une coalition de l'ombre dont je n'ai pas encore discerné tous les éléments. Mais il n'empêche que, lorsque j'ai attiré l'attention du président de la République sur les risques de cette construction par piliers, risques qui aujourd'hui se sont transformés en handicaps, il ne m'a pas suivi et a changé de sujet de conversation.

François Mitterrand disait : « L'essentiel est fait. N'en demandez pas trop. » Il est arrivé un moment, pour parler en termes psychologiques, où j'ai eu le sentiment que le chancelier Kohl et lui, qui avaient fait beaucoup, qui avaient dû convaincre chez eux, ont pensé que les bâtisseurs avaient fait le nécessaire. Et le seul moment où j'ai pu aller à l'encontre de la satisfaction de Kohl – pas de Mitterrand, parce qu'il me soutenait –, c'est trois heures avant la fin du Conseil européen de Maastricht où ce traité a été adopté, quand j'ai demandé une suspension de séance parce que la présidence néerlandaise voulait supprimer les

219

dispositions sociales. Le chancelier Kohl m'a dit à ce moment-là : « Tu sais, Jacques, on fera ça à la prochaine conférence sur les traités. » J'ai répondu sèchement : « Non. » François Mitterrand m'a soutenu et je suis allé voir les Anglais, pour obtenir l'accord – on était douze à l'époque – pour qu'on puisse faire quelque chose à onze, d'où le protocole social. C'est la seule petite victoire que j'ai pu remporter au moment de Maastricht. Mais pour le reste, je n'approuvais pas la partie politique du traité, source de faiblesse et de confusion.

Contre l'avis de la plupart des siens, qui y voient un coup de poker, le président de la République décide de faire ratifier le traité de Maastricht par référendum. Le oui passe de justesse. Dans ces combats pour l'Europe, en tout cas, Mitterrand n'aura ménagé ni sa peine, ni son temps, ni son ingéniosité.

Jacques Delors
François Mitterrand voulait qu'une décision aussi importante soit ratifiée par le peuple. J'ai été surpris, parce que j'y voyais des risques. Le lendemain de sa décision, nous partions à Rio pour la conférence sur l'environnement. Il avait invité plusieurs hommes et femmes politiques de droite et de gauche ; tous faisaient des têtes comme ça, en disant : « Mais ce référendum, il va le perdre. » Moi, je n'allais pas jusque-là ; enfin j'ai été surpris. Mais je comprends que c'est un geste profondément démocratique et dans l'esprit de la Ve République.

Élisabeth Guigou
C'est une décision personnelle, mais enfin, il a consulté ses ministres et ses conseillers. Je crois avoir été la seule à plaider pour le référendum, sur ce thème :

« Faites un référendum, car il faut rapprocher l'Europe des citoyens. Si vous ne les consultez pas sur l'Europe, sur un traité comme ça, qui est quand même une grande chose, le plus grand traité depuis le traité de Rome, alors, il ne faudra plus prétendre intéresser les citoyens à l'Europe. » Mes collègues me disaient : « Il ne faut pas dire ça. L'Europe, on a toujours réussi à la faire, parce que, justement, on la faisait loin des peuples, sinon, elle ne se serait jamais faite. » C'était vrai au début, mais au point où en était arrivée l'Europe, si on n'associait pas les peuples, elle finirait par être rejetée.

Tout le monde était tellement sûr qu'on allait le gagner que personne n'avait mouillé sa chemise. Mais je sentais bien qu'il fallait quand même se remuer. J'ai fait campagne pendant tout le mois de juillet et début août, puis j'ai pris une semaine de vacances du 8 au 15 août. Et là, le président m'a appelée chez moi, dans le Vaucluse, pour me dire : « J'aimerais bien que vous veniez me voir, pour me dire un peu comment vous sentez les choses. » Je suis donc allée à Latche, tout de suite après le 15 août. Je lui ai dit : « Eh bien, ça ne va pas. » Et c'est là qu'il a pris la décision de faire l'émission avec Guillaume Durand, qu'il a décidé de se jeter personnellement dans la bataille.

20

Un temps de chiens

Dès son arrivée à Matignon, en mars 1991, Pierre Bérégovoy, dont nul alors ne conteste l'intégrité, fait de la lutte contre la corruption son cheval de bataille. En l'absence de législation, tous les partis ont eu pendant des années recours à des expédients pour financer leurs activités. Depuis des mois, la classe politique est éclaboussée par une noria d'affaires. En ce domaine, la gauche est plus fragile, étant moins rompue aux manipulations financières. Le Parti socialiste en particulier est plombé par le scandale Urba, du nom de la société experte en fausses factures qui sert de vache à lait au parti. Cette affaire joue un rôle considérable dans le discrédit qui frappe alors le PS.

A l'égard de l'argent, François Mitterrand a toujours affiché une grande désinvolture, sinon un grand dédain. L'argent ne l'intéresse pas, mais en bon balzacien, il est ébloui par ceux qui en font. Et il est de fait que, s'il mène une vie sans faste, détenteur de biens relativement modestes, il a beaucoup d'amis riches...

Gilles Martinet
Avant les lois sur le financement de la vie publique pour les hommes politiques, les ressources sont assez claires : elles passent en gros par le grand commerce, le bâtiment et le service des eaux. C'est à travers des contrats passés avec des municipalités que l'argent arrive. Mitterrand, quand il était premier secrétaire du parti, était amené à avoir des soutiens et à recevoir de

l'argent. Defferre, par exemple, a permis au parti de toucher des commissions sur des contrats marseillais. Mais c'était une pratique courante, y compris chez des gens qui dans le Parti socialiste se trouvaient être les adversaires de Mitterrand. Il y avait cependant chez lui un côté particulier. Il s'intéressait à ces trafiquants. Il avait une certaine attraction pour eux. Sa fascination à l'égard de Tapie ! Il l'a fait ministre alors même qu'on savait que Tapie traînait un grand nombre de casseroles. Il y a eu une mitterrandie faisandée, des gens qui parvenaient à vendre des entreprises en difficulté à des entreprises d'État et à toucher des sommes confortables. Mitterrand lui-même n'avait pas d'argent sur lui. Mais il jouait sur ces réseaux d'argent. Le deuxième septennat a vu l'explosion de ces méthodes de corruption. Mais je dois dire que je ne connais pas d'hommes politiques de premier rang qui n'aient pas eu recours à ces pratiques.

Alain Juppé
Je ne veux pas du tout exonérer Mitterrand de sa relation à l'argent. Tout le monde a dit qu'elle était complexe. Enfin ! Tout simplement il l'aimait. A condition de ne pas se préoccuper de la manière dont il en disposait. Certes. Mais un certain nombre de pratiques des formations politiques à cette époque-là, je ne parle pas de son attitude personnelle, doivent être remises à la lumière aussi de ce qu'était la législation, de ce qu'était l'attitude de la collectivité nationale vis-à-vis du financement de la politique, c'est-à-dire d'une parfaite hypocrisie. On ne vous donne pas les moyens légaux de vous financer. On ne veut pas le savoir. Et puis après, si ces moyens ne sont pas légaux, on vous sanctionne. On est sorti de cette

époque. On en sort avec douleur parce que l'héritage n'est pas encore complètement liquidé. On est entré dans une période différente. Il faut juger chaque période, je crois, à l'aulne de ses propres valeurs.

Paul Quilès
Je savais, étant proche de lui et l'ayant souvent entendu dans des cercles restreints, que, contrairement à ce qui a été dit, Mitterrand n'entendait rien à l'argent et qu'il avait à son égard une certaine aversion. Et c'est probablement la raison pour laquelle il a fait confiance à des gens à qui il n'aurait pas dû faire confiance. C'est aussi, vraisemblablement, la raison pour laquelle il était un peu fasciné par certaines formes de réussites, qui, moi, ne me fascinaient pas du tout. Et j'ai eu l'occasion de lui dire que la façon dont il s'était entiché en quelque sorte de Bernard Tapie me semblait déplacée.

Son vieil ami Roger-Patrice Pelat, qu'il a connu au stalag en 1940, vient souvent rendre visite au président à l'Élysée où certains l'appellent « le vice-président ». Philippe Dechartre connaît les deux hommes depuis la guerre.

Philippe Dechartre
Ils étaient comme deux frères. C'était le seul qui entrait dans son bureau sans frapper. D'ailleurs François lui doit beaucoup. S'il a subsisté dans ses traversées du désert, c'est parce que Pelat était là. Et je pense qu'on a fait de faux procès à Pelat. Pelat était un aventurier, un homme d'aventures, c'était son tempérament, mais il y avait du paladin en lui. Pelat était le fils d'une femme de ménage, il a fait la guerre d'Espagne, la Résistance. Il n'avait pas un rond à la Libération. Il a

eu le génie de trouver un petit truc qui a été propice à faire des milliards. Il a été propulsé non pas dans la sphère de la haute industrie ni de la haute finance, mais de l'argent. Il a vu le tas d'argent qui montait sous lui, il se trouvait au sommet. Moi, je n'ai rien à dire. Je n'avais pas les mêmes relations avec Pelat qu'avec Mitterrand, parce que, avec Pelat, on avait des relations de soldats. C'était un copain, on prenait une muflée ensemble. Ce n'était pas le cas avec François Mitterrand. C'était plus subtil. Mais tous ceux qui ont dit des horreurs sur Pelat, comme ceux qui ont dit des horreurs sur Mitterrand oublient tout ce qu'ils ont demandé à Mitterrand et à Pelat et tout ce qu'ils ont reçu.

Les rapports entre Mitterrand et Pelat, je les connais bien parce que j'ai quand même vécu avec eux. Ils n'étaient pas du tout, mais pas du tout du type : je t'ai donné ça, tu me donnes ça. Il est vrai aussi qu'il est plus facile de passer un coup de téléphone et d'obtenir quelque chose quand votre interlocuteur sait que vous êtes l'ami du président de la République. Mais tout ça a pris de l'importance parce qu'on en a fait un roman policier. Et c'est un roman policier, oui, bien entendu. Ni Pelat ni Mitterrand n'étaient hommes à se prêter à des actes méprisables. En tous les cas, leurs relations n'étaient pas méprisables. Et elles n'étaient pas dirigées vers un intérêt subalterne. C'était des relations d'affection profonde et absolument désintéressées de la part de Pelat. Car Mitterrand lui a proposé d'être ministre des Anciens Combattants, et Pelat a rigolé, naturellement. Je ne vois pas Pelat dire à Mitterrand : «On fait ce coup-là, mais ça me rapporte tant, tu m'aides.» Je ne pense pas qu'il l'eût dit et je ne pense pas que Mitterrand l'eût écouté. Pour moi, c'est clair.

Il y avait du boy-scout en lui. En tout cas, ce n'est pas dans le tempérament de Pelat, qui était un bulldozer, et ce n'était certainement pas dans le tempérament de Mitterrand de faire de petites magouilles. Lui, il faisait des opérations très complexes, très vicieuses, très florentines, mais c'était pour la raison d'État et pas pour quelques picaillons, ni même pour beaucoup de picaillons.

Pelat a créé en 1953 une entreprise spécialisée dans les amortisseurs d'avion, Vibrachoc, dont Robert Mitterrand, frère de François, est un temps vice-président. Fortune faite, Pelat a aidé François Mitterrand tout au long de sa carrière politique, en particulier pour le financement des campagnes électorales. Le président élu s'est-il senti endetté envers son ami ? Certains, dans le haut appareil d'État, ont-ils devancé les désirs de François Mitterrand ? En 1982, en tout cas, Pelat revend Vibrachoc à la société nationalisée Alsthom, qui la paie quatre fois sa valeur. Le président ne pouvait ignorer la transaction : la recommandation de racheter Vibrachoc est partie du secrétariat général de l'Élysée dont le titulaire est alors Bérégovoy. L'affaire a été réglée par Alain Boublil, conseiller pour les affaires industrielles.

Dans les scandales financiers qui ponctuent sa présidence, François Mitterrand est au moins coupable de négligence. Informé ou pas, il a laissé se produire des dérives dont des proches étaient responsables ou bénéficiaires. En 1988, Pechiney rachète la société américaine American Can. La transaction secrète a été négociée par le directeur de cabinet du ministre de l'Économie Pierre Bérégovoy. Quelques semaines plus tard, les enquêteurs de Wall Street signalent qu'un délit a été commis : quelques personnes, mises dans la confidence, ont réalisé une superbe plus-value. Patrice Pelat figure parmi les heureux bénéficiaires du tuyau. Il est inculpé de « délit d'initié ».

Jean-Louis Bianco

Mitterrand a mal réagi ; « mal » au sens où il était très
choqué, il voulait comprendre ce qui s'était réellement
passé avec Triangle [1], parce que ce n'était pas si simple
que ça à comprendre (je ne sais même pas si aujour-
d'hui on a totalement compris). Dieu sait qu'il avait,
je crois qu'on peut dire de l'affection pour Patrice
Pelat ! Je l'ai entendu dire devant moi, et je ne suis pas
le seul à qui il l'ait dit : « S'il a fait ça vraiment, c'est
inadmissible. » Ce qui ne voulait pas dire que pour
autant il lui retirait son amitié.

C'est ça qui était la complexité et à mon avis le charme
du personnage Mitterrand : parce que c'était un ami,
il était prêt à tout lui passer et à considérer comme
légitime une petite opération de spéculation – si elle a
eu lieu, parce qu'elle a été quand même minime ;
enfin c'était de la spéculation. Il ne trouvait pas ça
bien, mais il ne retirait pas son amitié pour autant.
L'amitié, il la retirait si on lui manquait, si une fidélité
était rompue ou s'il estimait qu'elle était rompue. Il
était très exigeant là-dessus. Mais pas sur un comportement personnel. Un ami, c'est un ami ; il fait quelque
chose qui n'est pas bien, ce n'est pas bien, mais ça
reste un ami.

Laurent Fabius

Est-ce que Mitterrand porte une part de responsabilité dans ces dérives ? Il est évident que lorsqu'on est
le chef de l'État, on porte objectivement, comme on
dit, une responsabilité dans ce qui se passe, même si
lui-même, personnellement, était parfaitement hon-

---

1. Société américaine impliquée dans l'opération.

nête. Et puis, il faut aussi prendre en compte un autre élément : la relation particulière de Mitterrand avec l'amitié.

D'un côté une relation admirable, de l'autre une conception qui peut être dangereuse, puisque l'ami reste l'ami, quelles que soient les circonstances et, finalement, quoi qu'il ait fait. Cela fait partie aussi de la geste mitterrandienne, de la façon dont il appréhendait le monde. On aurait souhaité dans plusieurs cas que les choses soient plus claires.

Jack Lang

Il y a des gens qui ont abusé de lui naturellement. Je suis très sévère personnellement à l'égard de ces gens. Quand on a la chance de vivre aux côtés d'un homme comme François Mitterrand, d'être son ami, on a un devoir absolu d'honnêteté, d'intégrité. Et j'en veux à ceux qui ont abusé de ce pouvoir, de cette confiance, de cette carte blanche qu'il a parfois trop généreusement donnée à des personnes à qui il a accordé son crédit.

Pierre Joxe

Souvent il n'a pas coupé les branches mortes au bon moment. Il y avait des gens qui se livraient à des pratiques plus ou moins régulières : il était trop indulgent. Je pense que c'est de sa faute, on peut le dire, mais c'est lié au système présidentiel.

Il y avait le côté positif, la fidélité à des amis, à des gens comme Pelat par exemple, qui avait peut-être de graves torts dans sa vie d'homme d'affaires, mais qui avait été un héros pendant la guerre, pendant la Résistance, dans les camps de prisonniers.

Alain Juppé
Je crois qu'effectivement l'aspect clanique des choses, quasiment tribal, l'emportait parfois chez lui sur le sens de l'État.

Loin de se tenir à l'écart, François Mitterrand prend la défense de son ami Pelat. Lors de l'émission d'Anne Sinclair, *7 sur 7*, qu'écoute la France entière, il évoque avec émotion leur rencontre au stalag pendant la guerre et s'explique longuement sur cette amitié compromettante.

Jean-Louis Bianco
Il y avait une très profonde sincérité et en même temps, bien sûr, un souci tactique. Il ne l'a pas dit explicitement, mais je pense qu'il s'est demandé comment faire en sorte que l'image de Patrice Pelat ne sorte pas broyée de cette affaire (et, au passage, un peu la sienne...). Donc il a su faire passer de manière presque lyrique – mais là aussi c'était son style –, et surprenante dans une émission de télévision, tout ce qu'était Patrice Pelat pour lui comme homme, ce qu'il était en fait, ce qu'il a été dans la Résistance et ce qu'il a été ensuite. Je crois que c'était à la fois, et c'était souvent ça chez Mitterrand, le cri du cœur qui rejoignait l'intérêt tactique.

Hubert Védrine
C'est un immense acteur en même temps ! Immense acteur ! Grand président, immense acteur ! Mais je crois en même temps à sa sincérité.

En mars 1990, Pelat meurt d'une crise cardiaque. Mais la justice suit son court. Le juge Jean-Pierre enquêtant sur une banale affaire d'abus de biens sociaux découvre que les histoires

229

où on retrouve toujours les mêmes protagonistes s'emboîtent comme des poupées gigognes. Grâce à ses relations au sommet de l'État, Patrice Pelat a fait bénéficier une entreprise de travaux publics d'un gros marché en Corée du Nord. Coïncidence, c'est cette même entreprise qui effectue sans facturation des travaux dans le château de l'ami du président. Le juge Jean-Pierre n'est pas au bout de ses surprises : en perquisitionnant chez Patrice Pelat, il découvre la trace d'un chèque dont le bénéficiaire est Pierre Bérégovoy.

En février 1993, *Le Canard enchaîné* révèle que le Premier ministre a bénéficié quelques années plus tôt d'un prêt (sans intérêt) d'un million de francs de Patrice Pelat. Cet argent a servi à acheter un appartement dans le XVIe arrondissement de Paris. La presse s'empare de l'affaire et harcèle Bérégovoy. La campagne électorale pour les élections législatives bat son plein. Les socialistes sont au plus bas, le chômage au plus haut. L'affaire du prêt, plutôt dérisoire, pèse lourd dans le climat délétère de la fin des années Mitterrand. Le pouvoir que jugent les Français en mars 1993 est incarné depuis si longtemps par l'homme de l'Élysée que le président de la République et son parti ne peuvent éviter la sanction.

Le désastre électoral subi par le Parti socialiste et son fondateur est pire que prévu. Le chômage, l'immoralisme, l'affairisme jusque dans l'entourage présidentiel condamnent sans appel le pouvoir socialiste.

C'est Édouard Balladur, le théoricien de la cohabitation, qui succède à Pierre Bérégovoy. La deuxième cohabitation commence dans une atmosphère feutrée que vient troubler soudain l'écho assourdissant d'un coup de feu.

Le samedi 1er mai 1993, Pierre Bérégovoy se tire une balle dans la tête au bord d'un canal proche de Nevers, ville dont il est maire. Ce suicide d'un homme qui n'a pas supporté la mise en cause de son honneur frappe les esprits. Car le destin du petit cheminot modeste, fils d'immigrés, devenu un puissant ministre, du militant socialiste épris de justice transformé en modernisa-teur du capitalisme français, apparaît comme un saisissant concentré des années Mitterrand : de l'avènement de la gauche au choc du réel, de la perte des illusions à la sacralisation de l'argent...

Hubert Védrine
On savait très bien qu'il était très déprimé, qu'il avait été extraordinairement atteint, complètement démoli par la campagne menée contre lui à propos de ce prêt d'un million de francs pour acheter un appartement. Il l'avait intériorisée de façon tragique – et puis il vivait l'échec aux élections, qui était totalement prévisible, comme étant *son* échec. Quand il a été nommé Pre-mier ministre, il a été bouleversé que Mitterrand le reconnaisse, virgule, enfin ! Il avait le sentiment que c'était trop tard ! Trop tard pour la gauche, trop tard pour lui !
Quelque chose de mélancolique marque le début du gouvernement Bérégovoy avant même que se déchaîne de façon haineuse et disproportionnée cette campagne contre lui. Après la défaite électorale, le contact a été maintenu. On était quatre ou cinq à avoir l'idée de l'appeler, de garder le contact. Je me revois encore appelant Pierre Bérégovoy pour lui dire : « Pierre, tu sais que nous pensons que, dans cette affaire de bilan économique et social que veut faire le gouvernement Balladur, c'est toi qui dois répondre à l'Assemblée nationale. » « Mais non, ça ne sert à rien, plus personne n'écoute ce que je dis ! » « Mais si ! Je t'assure, tu es le seul qui ait encore de l'autorité, le président me l'a encore redit, on met à ta disposition qui tu veux. » « Non, c'est pas la peine, un autre le fera ! » C'est un exemple. Le lendemain, c'était un autre qui l'appelait

et encore un autre. Ces efforts amicaux passaient par beaucoup de canaux, par Michel Charasse, par Maurice Benassayag, et par d'autres amis. François Mitterrand y tenait. Il avait cherché à fixer des rendez-vous, à le revoir. Mais il y a des moments où l'on n'a plus de prise si quelqu'un se laisse aller.

Paul Quilès
J'avais annoncé à Pierre Bérégovoy, alors que j'étais ministre de l'Intérieur, ce qui était en train de se tramer contre lui. J'ai eu malheureusement à connaître les détails, non pas de cette affaire, parce que ça n'en était pas une, mais de la façon dont on a monté une affaire. Et je comprends d'une certaine façon la réaction passionnelle de François Mitterrand. Pour moi, c'est un souvenir terrible que celui de cet homme, Pierre Bérégovoy, qui était un honnête homme, si totalement bouleversé qu'il est allé jusqu'au bout de cette démarche terrifiante qu'est le suicide. Il n'a pas accepté que l'on puisse contester sa probité à partir de quelque chose qui, somme toute, n'est pas un délit, mais à l'évidence une maladresse, qui a été exploitée contre lui de façon épouvantable.

François Mitterrand est dévasté par la mort de son ancien secrétaire général, puis Premier ministre. Aux obsèques, il s'en prend à l'acharnement de la presse en lançant une phrase longuement mûrie qui ne doit rien à l'improvisation.

François Mitterrand
Toutes les explications du monde ne justifient pas qu'on ait pu livrer aux chiens l'honneur d'un homme et finalement sa vie.

Hubert Védrine

Je pense qu'il a été révulsé ! Révulsé par la campagne contre Bérégovoy, révulsé contre l'interprétation qui en a été donnée. Ce qu'il ressentait sur ce qui a été écrit après était au-delà de la nausée. Et là, il n'y a aucun calcul, il n'y a aucune feinte, il n'y a aucun effet d'estrade, c'est la vérité brute. Dans ces années 1990, il y a tellement de combats, tellement de vindicte, tellement de règlements de compte qu'évidemment l'explication qui lui vient à l'esprit, c'est une sorte d'acharnement perpétuel contre lui et contre ses proches. Et là, je crois qu'il était touché ! Le discours prononcé le jour des obsèques à Nevers, on sent vraiment qu'il sort des tripes.

Laurent Fabius

J'étais, comme chacun, et même plus que d'autres, très touché, parce que j'aimais beaucoup Pierre Bérégovoy. C'était un ami. Vraiment. En plus, j'étais irrité parce que se pressaient dans cette cérémonie beaucoup de ceux qui avaient été très très durs avec Pierre encore quelques jours auparavant. Pour toutes ces raisons, j'étais très secoué. Juste après, nous nous sommes retrouvés avec Mitterrand, seuls, là, à Nevers. Et nous avons marché ensemble, et il m'a parlé de la mort. Il me parlait de la mort de Pierre Bérégovoy, mais c'était de la sienne en réalité qu'il parlait. Je le sentais. C'était extraordinairement émouvant, parce qu'il me disait que la mort, c'est la vérité de la vie, qu'à ce moment tout se fige, qu'un homme devient définitivement ce qu'il est. Il était profond, émouvant et, en même temps, il manifestait de l'humour envers lui-même, il se moquait de lui-même et des autres. Oui, il était obsédé par la mort, parce que c'est le

233

moment où les hommes apparaissent dans leur nudité, dans leur fragilité, dans leur vérité. C'est d'ailleurs sans doute pourquoi il se montrait très généreux, lui qui était si dur avec les autres, au moment de leur maladie. Parce que c'est le moment où les autres avaient besoin de lui. Ce n'était pas du cynisme. Mais là, il savait qu'il existait une zone où on ne joue plus. Il avait alors en lui une générosité totale, parce qu'il sentait que les autres en avaient besoin, et qu'il pouvait leur apporter beaucoup. J'ai ressenti tout cela dans cette courte promenade. J'y repense de temps en temps.

Onze mois passent avant que retentisse un second coup de feu. Et cette fois, à l'Élysée même. Le corps de François de Grossouvre est retrouvé dans le bureau qu'il occupait au premier étage. Ancien conseiller, longtemps confident, parfois pourvoyeur de fonds, détenteur de secrets anciens, Grossouvre se tenait depuis trente ans dans l'ombre de Mitterrand, là où se méditent les missions secrètes, se traitent les affaires troubles, se règlent les questions délicates. Un temps chargé de superviser à l'Élysée les services secrets, mêlé aux crises du Proche-Orient, Grossouvre était tombé en disgrâce à partir de 1985. Le président interdisait qu'on lui confiât la moindre mission.

Gilles Martinet
Grossouvre lui avait été très utile. Aussi lui laissa-t-il prendre des responsabilités dans le domaine du secret, des services de renseignement. Le malheureux Cheysson était indigné parce que des interlocuteurs étrangers, notamment dans les pays arabes, entendaient des propos de Grossouvre tout à fait différents de ceux que leur tenait l'ambassadeur. Mais Mitterrand a protégé Grossouvre jusqu'à ce que Dumas, devenu

234

ministre des Affaires étrangères, lui dise : «Délivrez-moi de cet olibrius, je ne veux plus l'avoir dans les pattes.» Alors Grossouvre a été nommé directeur des Chasses...

Grossouvre ne conservait comme fonction officielle que d'organiser les chasses présidentielles, activité que Mitterrand avait en horreur. Depuis quelques mois, amoureux déçu, il se répandait dans Paris sur les turpitudes du souverain et de la cour, révélant ce qu'il savait ou croyait savoir des dossiers compromettants à des journalistes qui faisaient mine de le croire encore informé. Cette mort, en ce lieu, ajoute encore un peu de ténèbres à une fin de règne crépusculaire. Et une touche noire au roman du pouvoir mitterrandien.

21

Monarque républicain

Au début de son second septennat, François Mitterrand est au sommet de sa puissance et de sa gloire. Celui que beaucoup appellent, comme ses gardes du corps, « Tonton » et la presse satirique « Dieu », règne sur un pays fasciné par son président vieillissant. La République a retrouvé un souverain.

14 juillet 1989. La France célèbre le bicentenaire de sa Révolution. Le président a invité aux cérémonies ses collègues étrangers qui forment le club des Sept, le G7. François Mitterrand profite de la présence des puissants de ce monde pour inaugurer le dernier-né de ses grands travaux : l'Opéra, érigé à la Bastille. Un amateur de symboles ne saurait manquer de faire référence à ce lieu deux siècles après 1789. Mitterrand, si assuré qu'il soit de laisser une trace dans l'Histoire, tient à marquer son empreinte dans la pierre. Dès le début de son premier septennat, il a lancé des chantiers qui, plus ou moins heureusement, vont remodeler Paris : l'Opéra-Bastille, le Grand Louvre et sa fameuse pyramide, l'Arche de la Défense, le ministère des Finances à Bercy et plus tard la Grande Bibliothèque. Il intervient dans les choix architecturaux et suit les travaux en personne.

Jack Lang
Lorsqu'on présente François Mitterrand comme une sorte d'empereur qui tranche, décide, ordonne, on se trompe ! Il y a quelques domaines dans lesquels

François Mitterrand avait une vision, je dirais, impérieuse, la politique étrangère en particulier! Mais dans d'autres domaines, il confiait une mission, donnait carte blanche à partir d'une instruction générale, et ensuite à chacun de faire ses preuves. Je n'ai jamais bénéficié de la part de quelqu'un d'une telle confiance, qui parfois d'ailleurs peut vous troubler. Il m'a accordé un pouvoir peut-être excessif. Le vrai César de la culture, ça a été plutôt moi, puisque j'ai détenu pendant deux fois cinq ans les rênes, le budget, le choix des hommes, l'orientation des politiques. La seule instruction que j'aie reçue de lui, c'est, je crois, quelques jours après mon entrée en fonction : je le vois à l'Élysée un petit quart d'heure, il me dit deux choses. Premièrement : «Établissez-moi une liste de projets à Paris et hors Paris de réalisations qui pourraient marquer cette période.» On n'appelait pas ça à l'époque «grands projets» ou «grands travaux». Et, deuxièmement : «Foncez! Allez-y.» Je suis sorti de l'Élysée au comble du bonheur. Un président de la République qui me dit : «Dressez-moi une liste de projets emblématiques qui pourront marquer cette période. Pour le reste : foncez, allez-y»... En plus, j'étais muni de l'engagement que nous pourrions obtenir 1 % du budget pour la culture. Alors c'était merveilleux!

Pour le Louvre, c'est vers le 20 juillet 1981, je crois, que, passant et repassant devant la sinistre cour Napoléon qui à l'époque était un parking occupé par les fonctionnaires des Finances avec au milieu un square pisseux, je me suis dit : «Ce n'est quand même pas possible qu'on laisse le Louvre en cet état, aussi poussiéreux et, en plein cœur de Paris, cette place aussi laide!» J'ai adressé un petit mot au président : «Et si nous décidions de transférer le ministère des Finances

ailleurs pour restituer le palais du Louvre au musée. »
Il m'a répondu avec une petite note dans la marge :
« Bonne idée mais difficile à réaliser comme toutes les
bonnes idées ! » J'ai senti que naturellement l'idée était
entrée dans sa tête. Et, en septembre 1981, lors de sa
première conférence de presse, il a annoncé successivement le déménagement du ministère des Finances,
l'organisation d'une exposition universelle que je lui
avais proposée qui devait se tenir en 1988 ou 1989, la
Défense et d'autres projets.

Le président socialiste est resté aussi strict que le général
de Gaulle sur l'étiquette. Pas question de simplifier un protocole
archaïque ! François Mitterrand tient à l'apparat qui sacralise
la fonction présidentielle.

Tout pouvoir fait naître une cour. Autour de François Mitterrand, monarque républicain, prolifère une nébuleuse, bien
distincte des collaborateurs de l'Élysée, de proches, de familiers,
de comparses. Doté d'un singulier charisme, Mitterrand a toujours marqué son ascendant sur les êtres. Grand maître dans la
conduite des hommes, il sait jouer admirablement des faiblesses
humaines. Dans la société de cour qui s'agite autour de lui, il
jauge, récompense, profère les anathèmes, distille les privilèges
– et d'abord le premier d'entre eux : être distingué, reconnu,
choisi.

Hubert Védrine
Ce qui est frappant chez François Mitterrand, c'est
que, si vous reprenez sa biographie depuis le début,
vous êtes frappé par le fait qu'à toutes les époques,
même jeune étudiant, même jeune prisonnier, jeune
résistant ou jeune ministre, il se crée autour de lui un
phénomène de fascination. Il subjugue, il entraîne
même sans faire d'efforts en particulier, *a fortiori* s'il

fait des efforts, il séduit, il convainc. Ce n'est donc pas le pouvoir qui a créé ça chez lui, mais il l'a démultiplié bien sûr, l'a accru, l'a augmenté.

D'un point de vue plus privé, il y avait une sorte de cour de volontaires qui étaient des amis, à compartiments multiples, en allant des Landes à Solutré en passant par d'autres lieux de rassemblements. Il y a des gens qui étaient dans ces groupes parce qu'ils y éprouvaient un plaisir fou. Ils n'y allaient pas parce qu'ils étaient obligés d'y aller pour obtenir une fonction. Ils n'étaient pas obligés, ayant été nommés dans une fonction, de montrer leur reconnaissance par de la flagornerie. C'était des gens qui étaient des familiers, comme on disait, qui ont suivi François Mitterrand à différentes époques de sa vie et de sa carrière et qui étaient heureux d'être là, de se retrouver, fascinés par ce qu'il disait.

Élisabeth Guigou

On observait ça avec une certaine tranquillité, parce que ça ne nous paraissait pas avoir d'influence sur la conduite de l'État. Il nous semblait que c'était un phénomène privé, en quelque sorte. D'autant que Mitterrand laissait chacun extrêmement libre. C'était vraiment quelqu'un qui était très respectueux de la liberté d'autrui. Il n'imposait jamais rien. A la limite, il ne demandait jamais rien à personne. Donc, ne participaient à ça que ceux qui voulaient bien y participer. Mais il n'y a jamais eu, à ma connaissance, de mélange, en tout cas avec les affaires de l'État que nous avions à suivre. Il n'était pas indispensable de faire partie de ce petit cercle pour avoir accès au président. Je dirais même presque : au contraire. Pour nous, c'était une sorte de phénomène curieux, ça faisait partie du personnage, de sa complexité. De sa séduction. C'était quelqu'un qui s'intéressait aux gens, qui séduisait. Donc, il fallait pouvoir résister à ça. Il avait une attention, une façon de parler, une culture immense, en tout cas dans les domaines de la littérature et de l'histoire. C'était quelqu'un avec qui il était passionnant de pouvoir passer un moment.

Jacques Delors
Je préférais garder mes distances comme je l'ai toujours fait : ne pas être membre d'un clan, ne rien faire pour y entrer, parce que c'est ma conception de la vie, de ma vie d'homme public. Donc, mes seuls atouts devaient être la qualité de mes innovations intellectuelles, si j'en avais, la qualité de mes démonstrations et une certaine popularité dans l'opinion publique, ce qui, pour un ministre des Finances, n'est jamais simple. Et là-dessus j'étais tranquille, je ne cherchais ni à intriguer, ni à avoir l'accord de tel ou tel de l'entourage, ni à essayer de voir le président un dimanche d'une manière impromptue pour lui vendre une idée. D'autres ont fait ça, c'est leur affaire, mais moi je suis resté fidèle à mon attitude de principe.
Je crois que, d'un certain côté, Mitterrand appréciait, par contraste. Vous savez, un président de la République a autour de lui tellement de conseillers, mais aussi de courtisans, de vrais amis comme de faux amis, qu'il est reposant d'avoir quelqu'un qui est là et qui vous traite comme le président de la République.

Hubert Védrine
Et on pourrait citer des noms de gens qui ont exercé des fonctions de tout premier plan sans avoir dit à François Mitterrand que son dernier discours était

240

sublime ou fait semblant de lire le même livre que lui.
C'était vraiment des volontaires qui faisaient ça. Des
gens qui faisaient ça parce que c'était une pulsion plus
forte qu'eux. Attitude qui suscitait chez lui un mélange
d'indulgence, d'énervement, de mépris, d'intérêt par
les possibilités d'action que ça lui donnait. C'est un
homme qui brassait la pâte humaine. Il devait penser :
« Voilà, les gens se débrouillent comme ils peuvent. »
Tout ça était mêlé mais il devait y avoir, je crois, dans
le même mouvement une pincée de mépris pour celui
qui en faisait trop, et puis aussitôt l'idée que ça lui
fournirait telle ou telle opportunité. Évidemment,
dans cette position, il est difficile de ne pas développer
une vision très réaliste de l'espèce humaine.

Alain Juppé
C'est un homme qui avait quand même le talent de
l'intrigue. Ce qui m'a un peu choqué dans les entretiens libres que nous avions de temps en temps sur la
politique ou sur le reste, c'est sa dureté, sa méchan-
ceté avec ses propres amis, vis-à-vis de moi qui n'étais
pourtant pas du sérail. Il aimait jouer de ses inimitiés
personnelles, utiliser les hommes les uns contre les
autres. Bon matériau pour une intrigue de roman noir.

Une des marques de distinction particulièrement prisée par
les familiers, ou par ceux qui aspirent à l'être, est l'invitation à
Solutré. Chaque année à la Pentecôte, depuis 1946, François
Mitterrand escalade cette roche bourguignonne liée à des souvenirs de résistance. Pèlerinage affectif qui s'est transformé
depuis 1981 en « Fête-Dieu » de la mitterrandie. Il faut en être
pour « être ».

Jack Lang
Solutré, c'est une aventure que je n'ai pas connue à ses débuts. C'est, je crois, une rencontre amicale d'après-guerre à la Pentecôte qui s'est perpétuée d'année en année, et je me suis retrouvé invité par François Mitterrand et Danielle en 1981. C'était surtout deux journées de liberté, d'éblouissement, d'échanges, d'amitié.

La durée du double septennat de François Mitterrand nourrit la vieille polémique sur l'esprit abusivement monarchique du régime et de ce président-là. Le chef de l'État ne concentre-t-il pas trop de pouvoirs, pendant trop longtemps ?

Laurent Fabius
Pourquoi Mitterrand n'a-t-il pas modifié les institutions ? Au fond, il s'est coulé dans ces institutions, elles lui ont convenu. Il s'est dit : « Je suis en place, je suis au pouvoir », peut-être même « je suis le pouvoir ». Il faut en tirer la leçon. Pour un président de la République, impossible de seulement disserter sur la réforme des institutions. En particulier de disserter sur la durée du mandat présidentiel. Si le président de la République pense que la durée du mandat présidentiel doit être de cinq ans et non pas de sept, alors, s'il a effectué moins de cinq ans de mandat, il faut qu'il s'applique le quinquennat à lui-même. A la question posée : « Est-ce que moi, président de la République, élu pour sept ans, je ne dois rester que cinq ans ? », à cette question-là, Mitterrand a répondu non.

Jack Ralite
Le départ de l'Élysée, c'était à coup sûr le départ de la
vie. Et plus il restait à l'Élysée et plus il continuait de
vivre. Vous voyez. Cela fait partie des nourritures
clandestines des individus.

22

Le fantôme de Vichy

La sortie en librairie du livre de Pierre Péan, *Une jeunesse française*, en septembre 1994, allume un incendie qui le prend de court. L'enquête, conduite avec l'aide de Mitterrand qui fournit beaucoup de documents à l'auteur, retrace avec minutie et honnêteté le parcours du jeune François : son engagement dans la droite nationaliste, puis son passage à Vichy, son entrée dans la Résistance, ses débuts dans la politique. A vrai dire, le passé pétainiste de Mitterrand était connu, et sa francisque. Mais l'accumulation de détails fournis par Péan montre un jeune Mitterrand plus nettement engagé dans l'idéologie vichyssoise que l'on ne le croyait jusqu'alors.

Philippe Séguin
Je suis stupéfait devant l'hypocrisie ou alors l'ignorance de tous ceux qui ont découvert ces choses sur le tard. Mais enfin ! Dès 1965, il y avait des numéros spéciaux qui étaient publiés par l'UNR de l'époque, où tout ça était écrit, décrit. Je me réjouis d'ailleurs – parce que ça montrait son sens de l'État – que le général de Gaulle ait mis le holà à toutes ces opérations en disant que, dès lors qu'il y avait un risque que François Mitterrand soit président de la République, on n'avait pas le droit de prendre le risque de l'affaiblir s'il devait un jour diriger la France.
Tout ça était connu. La francisque, en 1963-1964,

tout le monde était au courant. Alors, attendre, devenir ministre, pour certains susciter la faveur du Prince, en profiter, faire carrière, et puis sur le tard, comme par hasard, un an avant qu'il s'en aille, prendre des airs de vierge effarouchée! Hypocrisie est peut-être un mot un peu faible. A moins qu'il ne s'agisse d'ignorance.

Pierre Joxe
J'ai toujours su que Mitterrand avait d'abord été à Vichy, qu'il avait été pétainiste et ensuite qu'il avait été résistant. Donc j'étais un peu vacciné, parce que mon père m'avait toujours dit: «Mitterrand a été pétainiste et vraiment pétainiste et ensuite il a été résistant et vraiment résistant.»
Donc, je n'ai rien découvert quand on a déballé tout ça; je le savais. D'ailleurs, tout le monde pouvait le savoir. Vous savez, il y en a d'autres! Y compris des personnalités gaullistes qui ont été vraiment pétainistes. Moi, j'ai eu la chance, oui, je peux le dire, la chance d'être élevé dans une famille où on était vraiment très antipétainistes, et donc j'en sais long sur beaucoup de gens. Et pendant la période de la guerre, de la Résistance, qui a fait quoi... C'est vrai que Mitterrand a changé d'avis, heureusement; et qu'il a été, comme beaucoup de Français, soumis à cette étrange situation d'avoir à choisir très jeune. Il a fait le bon choix. Voilà.

Un fait, en tout cas, choque l'opinion : François Mitterrand ne regrette pas d'avoir fréquenté pendant des années René Bousquet, organisateur de la rafle du Vel' d'Hiv. Le vieux président ne veut pas reconnaître que cet homme est un symbole, celui de la collaboration. En 1949, il est vrai, Bousquet a été blanchi par

245

la justice, pour « services rendus à la Résistance ». Il commence alors une carrière dans la banque, où il fréquente tous les notables parisiens, puis devient administrateur de *La Dépêche du Midi*, ce qui en fait un personnage de la politique méridionale. Quand François Mitterrand a-t-il connu Bousquet ? A Vichy, comme l'affirment sans preuves tangibles certains témoins ? Après son amnistie, comme il le dit lui-même ? Il l'a fréquenté en tout cas. Bousquet donne un coup de main pour les campagnes électorales. François Mitterrand le reçoit à Latche en compagnie de Jean-Paul Martin, qui fut au cabinet de Bousquet en 1943 avant d'être à celui de Mitterrand en 1954. Après son élection, François Mitterrand continue, jusqu'en 1986, semble-t-il, à voir Bousquet.

En 1989, l'avocat Serge Klarsfeld dépose une plainte contre Bousquet pour crimes contre l'humanité. Le président, hostile à l'ouverture d'un procès – comme à toute procédure relative à cette période –, ne cache pas qu'il a retardé autant qu'il l'a pu la procédure. Inculpé en 1991 de crimes contre l'humanité, renvoyé devant la cour d'assises, Bousquet ne sera jamais jugé : il est assassiné en 1993. La curieuse mansuétude de Mitterrand vis-à-vis de Bousquet surprend et déroute ses amis les plus proches.

Pierre Joxe
Je n'ai jamais compris cette histoire de Bousquet. Jamais. D'autant moins que Bousquet était un personnage dont beaucoup de gens, lui compris, pouvaient savoir qu'il avait vraiment eu un rôle horrible pendant la guerre.

Gilles Martinet
J'ai été choqué par l'affaire Bousquet. On m'en avait parlé, mais je ne connaissais pas les détails que révèle Péan. C'est vrai que Mitterrand a vu en Bousquet un

homme qui lui était utile. D'abord avec *La Dépêche de Toulouse*, avec aussi de l'argent. C'était un homme qui avait une influence dans un certain nombre de milieux. Et du coup il n'a pas tenu compte du passé de Bousquet. A un certain moment, il ne pouvait pas l'ignorer. Et c'est là où il s'est trouvé dans la situation la plus mauvaise. C'est pourquoi il entrait en colère dès que quelqu'un l'interrogeait à ce sujet. Il se défendait très mal.

Il y avait une autre raison à son attitude. Il était irrité par ce qu'on peut appeler la légende gaullienne. C'est-à-dire la légende d'une France résistante dès 1940. Et ce n'est pas seulement parce qu'il avait appartenu à des services du régime de Vichy qu'il réagissait ainsi. La majorité des Français a été vichyste, mais les anciens de la France libre et ceux de la première Résistance revendiquent une sorte de supériorité morale sur tous les autres. Je crois que ça explique beaucoup l'attitude de Mitterrand. Il ne voulait pas faire de concession à la légende gaullienne, parce que, évidemment, on s'en servait contre lui.

Mitterrand a été vichyste, il a été giraudiste, il a été gaulliste. C'est une évolution qu'ont suivi quantité de Français. Il ne veut pas en avoir honte. Un trait de son caractère, c'est de ne pas reconnaître ses erreurs. C'est très fort chez lui. Un homme politique qui reconnaît ses erreurs s'affaiblit.

Laurent Fabius

Je n'avais jamais entendu parler des relations Mitterrand-Bousquet. J'en ai eu connaissance seulement quand la presse en a parlé. Je ne possède absolument aucune information là-dessus. A partir du moment où le comportement de Bousquet était connu de lui, il aurait été normal qu'il cessât de le voir.

247

Claude Estier

Je savais qu'il avait eu des relations avec Bousquet en 1965 à l'occasion de la campagne présidentielle. Mais Bousquet, on ne savait pas qui c'était à l'époque. Ce qui m'avait un peu choqué, comme beaucoup d'autres, c'est qu'il ait continué à avoir des relations avec Bousquet à partir du moment où tout le monde savait qui était Bousquet et ce qu'il avait fait. Bon, là encore c'est peut-être la fidélité à des amitiés, mais disons qu'elles étaient un peu plus douteuses!

Philippe Dechartre

La légende dit beaucoup de choses sur Bousquet : qu'il est averti à temps par Mitterrand qu'il allait être arrêté? Geste de reconnaissance de Mitterrand? Je n'en sais rien. Je ne sais rien des rapports entre Mitterrand et Bousquet, si ce n'est que, quand Mitterrand a été élu par les châteaux dans la Nièvre alors qu'il était à droite, Bousquet n'y a pas été pour rien. Mais tout ça n'explique pas la question que nous nous posons tous. Pour moi, c'est une tache, mais j'ai une explication. Il y avait certainement des raisons d'hommes : la fidélité, la reconnaissance, le remerciement; peut-être une espèce d'attirance pour l'intelligence de son interlocuteur. Mitterrand était un légaliste, et à partir du moment où Bousquet n'avait pas été condamné, à partir du moment où Bousquet était blanchi, il n'y avait aucune raison pour lui de ne pas le fréquenter. Si Bousquet avait été condamné, je ne suis pas sûr que l'histoire aurait été la même.

L'explication en dehors de toutes les autres – il y en a mille et une, n'est-ce pas? –, l'explication c'est qu'il s'est retranché derrière ce goût qu'il avait de la légalité, parce que pour lui c'était fondamental. Bousquet acquitté est un citoyen comme un autre, il n'y a aucune raison pour que je ne le voie pas. Une tache quand même...

Jacques Bénet
Du moment où il a été blanchi, tout le monde a parlé avec lui. Il tenait du « fric » par la Banque d'Indochine, en tant qu'administrateur, et un grand rayonnement politique par son appartenance à l'équipe directrice de *La Dépêche du Midi*. Dix départements, au moins, du Midi. Ça intéressait tous les hommes politiques. Mitterrand en a rajouté à la fin, en s'entêtant. Il a fait semblant de ne pas se laisser impressionner. Mais ça, c'est le personnage Mitterrand.

Jean-Louis Bianco
Bousquet, pour moi, ça reste un mystère. Je n'ai jamais parlé avec François Mitterrand de ses relations avec Bousquet. Qu'est-ce qu'il savait sur Bousquet et à partir de quand ? Il ne faut pas oublier que des livres très critiques paraissent en 1979-1980. Est-ce qu'il savait des choses avant ? Je n'en sais rien. Quel était la raison ou l'intérêt pour François Mitterrand de rester lié à cet homme par une relation au minimum de sympathie, peut-être plus ? Je ne vois pas. Sinon une fidélité là encore, une fidélité à quoi ? Est-ce que Bousquet, comme on le suppose, mais on enjolive peut-être l'histoire – je n'en ai pas de preuve – a joué un rôle dans le soutien qu'il a pu apporter à son réseau de Résistance ? Je vois là l'expression d'une fidélité, peut-être mal placée. C'était quelqu'un avec qui il avait noué une relation et sans doute pendant la guerre.

Jack Ralite
Je n'arrive pas à comprendre ses rapports avec Bousquet. Je cherche d'ailleurs. Je lis tous les livres qui sortent. Je n'arrive pas à comprendre. Enfin, Bousquet c'était le pire des hommes. Et il l'a fréquenté. J'ai lu une interview d'Elie Wiesel. Elie Wiesel parle avec lui de l'affaire Bousquet. Il lui dit : « Mais, enfin, peut-être vous pouvez dire que vous vous êtes trompé. » Mitterrand : «Non, non, non. » Et Wiesel lui dit : «Vous savez, même Dieu peut se tromper. » Et Mitterrand répond : « Moi pas. » Là, il y a quelque chose qui est d'un autre ordre que la vie commune. Là, je vous dis, je vais chez Shakespeare, c'est dans le théâtre que je retrouve ces personnages. Alors c'est grand, c'est grand, mais c'est tragique.

23

Secret de famille

Comme pour en parfaire la touche romanesque, en cet automne 1994, les secrets de la vie de François Mitterrand sont livrés un par un au grand public. Le 3 novembre, l'hebdomadaire *Paris Match* brise un tabou en publiant les photos du président de la République prises au téléobjectif à la sortie d'un restaurant avec sa fille Mazarine, âgée de 19 ans. Pour bon nombre de personnes, il ne s'agissait d'ailleurs pas d'un secret.

André Rousselet
Mazarine, j'étais au courant depuis le début, ou presque. C'est Georges Dayan qui, toujours avec son humour grinçant, me disait, dans les années 70 : « C'est curieux, chaque fois que Mitterrand m'emmène dans sa voiture, sur la banquette arrière il y a une poupée ou bien un hochet ! » C'est un des quelques mérites de la vie publique en France que, notamment dans le monde politique, on sache respecter certains secrets. François Mitterrand avait organisé sa vie avec un volet légitime et un volet Mazarine. Il se trouve qu'après avoir été branché sur le premier, j'ai été muté sur le deuxième où j'ai appris à apprécier Mazarine et sa mère. Mais tout ça on le sait.

Jean-Louis Bianco
J'ai été mis au courant d'une manière assez étrange et là aussi assez typique de François Mitterrand. Quand il m'a nommé secrétaire général de l'Élysée, en 1982, un de ses proches collaborateurs m'a dit : « Jean-Louis, il y a quelque chose qu'il faut que tu saches : François Mitterrand a une fille qui s'appelle Mazarine. » Mais jamais François Mitterrand ne m'en a parlé. Par contre il savait que je savais. Il m'est arrivé d'être dans son bureau quand il avait des conversations soit avec Mazarine, soit avec sa maman. Je voulais me retirer, comme pour toutes conversations privées, mais il me faisait signe : « Non, restez. » C'était une manière de me dire : je sais que vous savez et que vous ne direz rien. Je crois qu'il a voulu une espèce de réunification de cette vie extrêmement complexe : tout dire, tout avouer et rendre tout finalement presque naturel.

Pendant longtemps, Mitterrand croit devoir préserver le secret. La protection de sa fille est prise en charge par les gendarmes qui assurent la sécurité du président. C'est en 1982 qu'a été créé un groupe spécial formé d'éléments dits d'élite, dirigé par le commandant Prouteau, flanqué pour un temps du capitaine Barril.

André Rousselet
Cette cellule a été créée parce qu'un certain nombre de ses collaborateurs ont constaté que le service de protection qui avait été affecté à François Mitterrand par la majorité, lorsqu'il était dans l'opposition, et qu'il avait conservée, n'était pas particulièrement sûr. Grossouvre, qui avait un tempérament assez inquiet quant à la sécurité de François Mitterrand, s'était livré à quelques expériences du genre : déposer un colis

252

sous la chaise du président de la République quand il va à une cérémonie. Personne ne s'en était inquiété. On s'était ainsi rendu compte que la sécurité du président de la République n'était pas assurée. On se replia d'abord vers une protection mixte police-gendarmerie. Un homme avait défrayé la chronique par son courage dans les sections de gendarmerie affectées à la recherche du banditisme et autres terroristes, notamment en Corse. Il s'appelait Christian Prouteau. Je l'ai convoqué en lui demandant s'il pouvait être intéressé par la constitution d'une force spéciale qui serait affectée à la protection personnelle de François Mitterrand. Il a d'abord refusé, mais François Mitterrand l'a reçu et convaincu. A peine cette cellule était-elle créée que j'ai quitté l'Élysée et que le tout a été repris par mon successeur Jean-Claude Colliard, puis par Gilles Ménage, qui était l'interlocuteur naturel de Prouteau. Cette cellule, qui devait se confiner à la protection physique de François Mitterrand, a élargi sa zone d'activités et ses attributions au point de s'intéresser à tout ce qu'il pouvait y avoir de menaces de terrorisme en France à cette époque – et ce n'était pas plus mal.

Malgré les précautions, la rumeur court la ville que François Mitterrand a une fille adultérine. La presse n'en souffle mot, mais Jean-Edern Hallier, fondateur de *L'Idiot international*, écrit un pamphlet révélant l'existence de Mazarine, qu'il menace de publier si Mitterrand ne lui donne pas – entre autres – la direction d'une chaîne de télévision. Hallier, surnommé « Kid » par les gardes de l'Élysée, est mis sur écoute, suivi et poursuivi.

André Rousselet
La seule responsabilité que François Mitterrand ait eue, où il a frôlé la ligne jaune, c'est quand il s'est agi de Mazarine. Notamment dans l'affaire Jean-Edern Hallier. Il faut dire qu'il s'agissait de provocations de maître-chanteur mettant en cause la sécurité de sa fille. Mais pour le reste, il n'y a pas eu de la part de François Mitterrand une curiosité malsaine à se délecter des écoutes téléphoniques qui lui étaient rapportées par la cellule. D'ailleurs, ces écoutes ont été faites sous le contrôle de toutes les autorités ministérielles et autres. Et il s'agissait le plus souvent d'affaires qui mettaient en cause l'État et sa sécurité.

Mais la cellule de l'Élysée dérape ; Hallier n'est pas le seul à être écouté. Les gendarmes de l'Élysée disposent de vingt lignes. En quatre ans, de 1982 à 1986, plusieurs centaines de personnes sont placées sur écoute, dont des journalistes, des avocats. Chaque soir, les transcriptions des écoutes sont déposées sur le bureau présidentiel. François Mitterrand ne peut ignorer que la cellule de l'Élysée se livre à des pratiques antidémocratiques, attentatoires aux libertés individuelles qu'il a si souvent défendues.

François Mitterrand (1993)
L'Élysée n'écoute rien. Il n'y a pas de système d'écoute ici. Moi, personnellement, je n'en ai jamais vu un...

Laurent Fabius
Je suis en quelque sorte tombé de l'armoire, parce que, beaucoup de gens y compris ma propre femme, dans les documents qu'a évoqués la presse, auraient fait l'objet d'une fiche d'écoute alors que j'étais Premier ministre.

254

Voilà le danger de tout système cloisonné. Une mécanique se met en place, elle n'est pas nécessairement contrôlée, elle aboutit à des dérives. Tout cela doit nous faire réfléchir au fonctionnement de l'État. Ce qui arrive à un moment peut arriver à un autre. Il est très important que les gouvernants possèdent des sortes de capteurs sur la société; si quelque chose d'exceptionnel arrive ou menace, ils doivent être informés directement sans une série de chaînons intermédiaires. Des mécanismes d'alerte et de contrôle doivent fonctionner de façon extrêmement précise. Il n'est pas question d'angélisme, mais l'État doit être transparent.

Un État « transparent » ? Bigre...

24

Un si lourd secret

En octobre 1981, lors d'un voyage officiel au Mexique, Mitterrand se plaint de douleurs au dos. De retour à Paris, les spécialistes consultés diagnostiquent un cancer de la prostate [1] et donnent à François Mitterrand trois ans de survie, au mieux. Le président décide de faire du secret médical un secret d'État. Le docteur Gubler couvre ce secret de bulletins médicaux anodins.

André Rousselet
En 1981, j'étais suffisamment à l'aise avec lui pour que, le trouvant un jour inquiet alors que je savais qu'il venait d'être examiné par un médecin, je l'interroge à ce sujet. Ce que j'avais tort de faire, car j'ai été brutalement renvoyé dans mes buts de manière très inhabituelle. C'était fin 1981 ou à peu près. C'est-à-dire au moment où la maladie a été identifiée. Bon, après, plus jamais, plus jamais je n'en ai entendu parler.

Jack Lang
Il y a un moment où, rétrospectivement, il pouvait donner à penser qu'il pouvait être malade mais d'une maladie curable, c'était je crois en 1981, lorsqu'il m'a dit souffrir beaucoup dans le dos. Et je me souviens

---

1. Mal qui a emporté le père de Mitterrand.

en particulier d'un voyage à Mexico qui a été assez pénible. Mais, néanmoins, il a pris sur lui et a continué avec beaucoup de courage. C'est le seul moment où je l'ai vraiment senti malade.

François Mitterrand, qui entame à peine son premier septennat, ne confie ce secret qu'à de très rares intimes et au Premier ministre de l'époque, Pierre Mauroy.

Roland Dumas
Un jour, je lui ai dit : « Le bruit court dans Paris que vous avez un cancer, et ce n'est pas très bon, ce qu'on dit... » Je prêchais un peu le faux pour savoir le vrai. Mais je tenais aussi à lui dire la vérité. Et il m'a répondu : « Vous savez, ils finiront par avoir raison. » C'était ni oui ni non. Mais j'avais compris. J'ai su la vérité cruelle plus tard, avant la première opération.

Le traitement hormonal prescrit par les médecins, dont le professeur Steg, fait des miracles. Pendant des années, le comportement du président dément l'insistante rumeur.

Jean-Louis Bianco
Je savais bien qu'il avait de temps en temps mal au dos, je savais bien qu'il avait eu un malaise ici ou là. Mais on pouvait les attribuer aux conditions de vie d'un homme qui n'était pas très jeune, d'un chef d'État avec les décalages horaires, l'air conditionné, le chaud, le froid. Comme par ailleurs il avait une énergie personnelle extraordinaire, moi je ne l'ai jamais vu, du temps où j'étais à l'Élysée ou au gouvernement, montrer physiquement une souffrance, enfin la montrer de manière trop visible, ni intellectuellement diminué en quoi que ce soit.

Hubert Védrine

Je n'ai jamais eu de soupçons pendant les voyages, jamais vu le moindre signe de quoi que ce soit. Il avait un médecin, mais tous les chefs d'État ont un médecin dans leur délégation. Il était d'une résistance incroyable. Et Dieu sait combien j'ai organisé de voyages! Comme conseiller diplomatique, j'ai dû en organiser cent cinquante et j'en ai fait énormément après, même si je ne les ai pas organisés. J'ai toujours vu les délégations étonnées par son énergie, sa résistance au manque de sommeil, au décalage horaire, sur le pont tout le temps!

Jack Lang

Je l'ai tellement vu au long des années montrer une santé de fer, une énergie à revendre, une capacité de résistance. Je n'arrive pas à croire qu'il ait été atteint d'un cancer.

François Mitterrand était un homme dont j'ai envié la santé, qui nous tuait tous par sa résistance, par sa capacité de travail, par toutes ses qualités intellectuelles et physiques. Et à la limite, c'est cela seul qui compte! Ni sa lucidité, ni son intelligence, ni sa force de travail ne furent atteintes.

Marie de Hennezel [1]

François Mitterrand a gardé le secret sur sa maladie. Je pense qu'il a puisé dans ce secret une grande force pour combattre sa maladie. Cette théorie, sans doute contestable mais originale, selon laquelle détenir un secret peut être une force, je l'ai trouvée en lisant Jung. Ce psychanalyste suisse racontait qu'il avait

---

1. Psychothérapeute, confidente de François Mitterrand.

surmonté les souffrances de son enfance en se créant un secret, quelque chose qui lui appartenait en propre. Détenir un secret donne un sentiment de toute-puissance. On peut penser que ce sentiment a compensé l'extrême vulnérabilité dans laquelle il s'est trouvé, se sachant gravement atteint.

Roland Dumas
Il a vraiment cru être guéri. Il pensait aussi que sa force de caractère lui permettrait de vaincre la maladie. Vous vous souvenez de sa réplique : « Bon, j'ai une maladie, je sais ce que c'est. Je l'affronte. C'est un mal qu'il faut combattre. C'est un combat honorable qu'il faut mener contre soi-même. » Il a pu même penser qu'il avait gagné la partie sur le mal.

Jean-Louis Bianco
Il croyait beaucoup aux forces de l'esprit, d'une manière étonnante. Et donc le combat contre la maladie, c'était de savoir si les forces de l'esprit auxquelles il croyait et sa force à lui en laquelle il croyait allaient oui ou non dompter la maladie. Je pense que, pendant très longtemps, il a cru qu'il y arriverait. Ça l'a sûrement aidé à survivre si longtemps, d'après ce que disent les spécialistes.

François Mitterrand veut croire à sa guérison assez fortement pour briguer un second mandat. Mais après dix ans de rémission, le mal se réveille. En septembre 1992, ses proches apprennent en même temps que les Français que le président de la République doit se faire opérer d'un cancer de la prostate.

Jack Lang
Dans l'été 1992, nous avons de nombreuses conversations téléphoniques. Il est à Latche, je suis en Provence

puis en Grèce, et il me parle des souffrances qu'il endure. C'est à la veille de son opération qu'il me fait prévenir qu'il va se faire opérer. Et puis c'est Pierre Bérégovoy qui nous apprend en septembre, à une réunion des ministres, que les examens ont fait apparaître ce cancer de la prostate. J'en ai ressenti une grande peine.

Après sa première opération, le combat intime contre la maladie devient public. Le mal progresse inexorablement. En juillet 1994, moins d'un an avant la fin de son second septennat, François Mitterrand doit subir une deuxième opération. Il en sort épuisé. Les traitements qu'il suit le mettent sur le flanc. A l'automne 1994, les stigmates de la maladie sont visibles sur le visage émacié d'un homme qui souffre en permanence, parfois à crier. Il est contraint de réduire ses activités et passe beaucoup de temps dans ses appartements privés. Il prend sur lui pour faire face à ses obligations officielles, qu'il tient à honorer, non sans douleur.

Hubert Védrine
La vérité, c'est qu'après la deuxième opération, donc après juillet 1994, il souffrait vraiment beaucoup! Il souffrait souvent! Il est passé par des phases je pense presque intolérables, c'est vrai! Mais même dans cette période, qui va donc de juillet 1994 à mai 1995 [1], je peux témoigner qu'il n'est jamais arrivé une seule fois, quel que soit le jour ou l'heure, où, ayant besoin de lui pour prendre une décision, pour donner un avis qui était sollicité par Édouard Balladur, par Alain Juppé, par Charles Pasqua ou par le chef d'état-major des

---

1. Période de la seconde cohabitation, le gouvernement est présidé par E. Balladur. H. Védrine est secrétaire général de l'Élysée.

armées, ou par quelqu'un d'autre ayant une responsabilité de ce type, il n'est jamais arrivé qu'il soit impossible de le joindre et qu'il ne puisse pas répondre, jamais! Donc il n'a jamais manqué au devoir de sa charge, ni dans aucune manifestation ou représentation, aucun Conseil des ministres. Il lui est arrivé, en Conseil des ministres, d'avoir des moments de souffrance aiguë. Il lui est arrivé de reprendre son souffle pendant quarante-cinq secondes, ce qui est interminable quand on attend qu'il se retrouve. Après il reprenait le cours du Conseil. C'est quand ce genre d'événements arrivait que la rumeur circulait dans Paris qu'il était mourant. Mais à aucun moment il n'a manqué aux devoirs de sa charge, et cela jusqu'au bout.

Alain Juppé
J'ai le souvenir d'un homme qui souffre. Mais je ne dirais pas diminué intellectuellement parce que les entretiens que nous avons eus jusqu'au bout ont été clairs, précis. Ce qui me frappait toujours, c'était sa vivacité, sa rapidité d'analyse et de compréhension. Mais en revanche, physiquement, il était extrêmement diminué. Et c'est pour ça que, malgré toute l'hostilité que j'ai pu accumuler pendant les vingt années où il a été l'Adversaire avec un grand A, malgré le jugement sévère que l'on peut porter sur le plan moral, il reste quand même quelque chose entre lui et moi qui est du domaine de l'affectif. Parce que j'ai le souvenir en particulier des séances de remise de lettres de créance. C'est un exercice très formel. Les ambassadeurs arrivent. On fait une photo, etc. On s'entretient un petit peu. Le ministre des Affaires étrangères est à côté du président de la République, et on passe au suivant. Ça

allait très vite, ça allait de plus en plus vite au fur et à mesure que les mois passaient. Entre deux ambassadeurs, il y avait un temps de pause. Et là je le voyais. Le président s'abandonnait un peu. Et la souffrance était sur son visage. Et nous étions seul à seul, et il m'est arrivé de lui prêter le bras pour qu'il puisse rejoindre son canapé. Donc voilà ! Je n'ai pas le sentiment que ça l'ait vraiment empêché d'assumer ses fonctions, sauf que, bien entendu, quand on est comme ça, on n'est pas propre à l'initiative, on est en gestion.

Marie de Hennezel
François Mitterrand, je l'ai trouvé très courageux. Il avait le souci de se maîtriser. C'est d'ailleurs une constante de sa vie. Maîtriser, maîtriser la maladie, la douleur, l'angoisse. C'était quelque chose de très important pour lui.

Claude Estier
Les choses qui m'ont choqué personnellement, je tiens à le dire, je les ai un peu expliquées, donc d'une certaine manière excusées, par la maladie. Je crois que Mitterrand souffrait énormément. Il a eu un courage physique extraordinaire pour faire face à cette maladie. Mais en même temps, il a laissé faire un certain nombre de choses. Il s'est entouré de gens qui n'étaient pas toujours les compagnons de la première heure et qui se sont peut-être un peu servis de lui. Disons qu'il n'avait plus le contrôle des opérations comme il a pu l'avoir tout au long du premier septennat.

Philippe Séguin
J'avais l'impression parfois qu'il prenait sur lui. J'ai deux expériences très marquantes en public. Il était

venu inaugurer le musée du Parlement que j'avais créé à Versailles, et il est venu devant le Conseil constitutionnel fêter je ne sais quel anniversaire. Chaque fois, on a senti qu'il démarrait son discours dans des conditions épouvantables, et puis il y avait une sorte de miracle qui se produisait : la qualité du verbe avait une sorte de vertu thérapeutique. Et il était totalement transformé au fur et à mesure qu'il parlait. J'avais l'impression d'ailleurs que, quand il s'arrêtait, il avait plutôt tendance à rechuter, mais une espèce de petit miracle s'était produit. La qualité du propos faisait qu'il se sentait mieux. Et ça se voyait.

25

Héritages

En mai 1995, son double septennat achevé debout, François Mitterrand quitte l'Élysée. Un demi-siècle d'action politique, quatorze ans de pouvoir présidentiel, un record absolu. Pour faire quoi ? Quelles traces laissera François Mitterrand dans l'Histoire ?

Jacques Delors
Qui a permis l'alternance, oxygène essentiel de la démocratie ? C'est François Mitterrand. Qui a permis de reconstruire une gauche non communiste en lambeaux ? C'est François Mitterrand. Qui a convaincu les socialistes qu'une aventure dans un seul pays ça ne marcherait jamais ? C'est François Mitterrand. Qui a convaincu une majorité des socialistes que l'Europe c'était une « nouvelle frontière » enthousiasmante pour la France ? C'est François Mitterrand. Et qui a enfin changé l'attitude des Français vis-à-vis de l'économie ? C'est aussi François Mitterrand dans une large mesure. Peut-être que seul un homme de gauche, un homme sachant manier la langue et le discours comme il le faisait, pouvait le faire.

Élisabeth Guigou
S'il y a un sujet sur lequel il n'a jamais changé, pour lequel il a pris tous les risques, dans lequel on sentait

264

qu'il y avait un engagement... qui venait du plus profond de lui-même, c'était l'Europe. Et son dernier grand discours, il l'a fait devant le Parlement européen. Je n'ai jamais entendu quelque chose d'aussi émouvant. C'était en janvier 1995, il était très malade. Il est venu dire au revoir. Il a parlé debout pendant plus d'une heure. A la fin, il a laissé ses papiers. Il a eu cette phrase admirable : « N'oubliez jamais, mesdames et messieurs, que le nationalisme, c'est la guerre. » Jamais, pendant un discours, le Parlement européen n'avait été aussi silencieux. Il y avait six cents députés de quinze pays différents, et ceux qui n'ont pas connu l'Europe à ses débuts, les Finlandais, les Suédois, étaient là ; quand il a eu terminé, ils l'ont acclamé pendant de longues minutes, debout. C'était un message, un testament. Nous étions tous profondément bouleversés.

Roland Dumas
Mitterrand aura fait quelque chose de formidable, que l'Histoire retiendra. Il a fait fonctionner les institutions dans tous les sens, y compris « cul par-dessus tête ». Le nombre d'alternances, la façon dont les choses se sont passées, les rapports entre majorité et opposition, tout cela s'est produit pendant l'ère Mitterrand. Souvenez-vous, on disait : « La Constitution est faite pour de Gaulle. » « Cela ne marchera pas s'il y a une autre majorité parlementaire après l'élection présidentielle. » « Ce sera le bazar »... Or, Mitterrand a fait fonctionner à deux reprises, avec des majorités contraires, les institutions de la République. De Gaulle a été l'architecte. Lui aura été l'ingénieur.

Philippe Séguin
Il a garanti les institutions. Il n'y a pas touché. Et on ne peut pas dire qu'il ait laissé une présidence affaiblie. Ensuite, disons, qu'il a réduit le Parti communiste. En tout cas, il a été président à l'époque où le Parti communiste s'est retrouvé réduit. Et puis il a donné une culture de gouvernement à la gauche. Il a fait entrer la gauche dans la modernité. Certains, peut-être, diront qu'il a supprimé la gauche. Mais la gauche, la droite ont-elles encore une signification aujourd'hui ? En tout cas, cette évolution s'est faite sous sa présidence.

Jack Ralite
Les êtres humains ne sont pas tout en noir. C'est un homme qui avait des lumières et qui avait des ombres. Mais si ses lumières étaient grandes, parce que c'est quand même lui qui a entraîné la victoire de la gauche – et ça je ne l'oublierai jamais –, il avait aussi des ombres. Et quand certains de ses amis disent qu'il y a un droit d'inventaire, je crois que c'est le devoir de démocratie. Ça ne veut pas dire le mépris, mais c'est le devoir de démocratie.

Gilles Martinet
C'est le prince de Machiavel, je veux dire que c'est un grand politique, par moments cynique, par moments s'inspirant de valeurs réelles. Mais c'est un homme qui a joué sa carte personnelle à fond et pour qui son destin était fondamental.

26

Portrait intime

François Mitterrand a atteint les objectifs, personnels et collectifs, qu'il s'était donné, jeune. Voici venu le temps des adieux. Mais cet homme, redevenu citoyen, qui peut se targuer de le connaître vraiment ? Au-delà des apparences, du masque que la maladie creuse, comment approcher la vérité de François Mitterrand qui s'est toujours préservé ?

Hubert Védrine
Même ceux qui étaient les plus intimes à un moment donné avaient toujours le sentiment qu'ils n'avaient accès qu'à une part et que le vrai centre du centre était ailleurs. Il était en lui-même ! Et cette part-là n'était jamais donnée à personne, je pense, même à des gens qui vivaient avec lui dans une vraie intimité. C'était une protection, c'était une pudeur, c'était une distance, c'était une... stratégie, tout à la fois.

Laurent Fabius
Mitterrand avait en permanence une démarche de nature philosophique, métaphysique. Sa philosophie reposait au sens étymologique sur l'ambivalence. C'est-à-dire la valeur double. Tout être possède à la fois de bons et de mauvais côtés. Toute situation est noire et blanche. L'art de la politique consistait selon lui à tirer le suc des bons éléments et à pratiquer le

judo. Si l'on n'aime pas Mitterrand, on dit : « Trop commode, cette ambivalence, c'est de la duplicité, elle permet de justifier tous les retournements de veste et toutes les évolutions. » Mitterrand possédait une grande capacité tactique. C'était un maître ès tactique. Mais plus profondément, c'est une vision philosophique qui fournit la clé de beaucoup des actions qu'il a menées, des choix qu'il a opérés, y compris sa fameuse formule « Donner du temps au temps ».
Pourquoi faut-il donner du temps au temps ? Précisément parce que, dans l'ambivalence de toute réalité, c'est seulement avec le temps que les êtres et les choses deviennent ce qu'ils sont. Toute situation et tout être évoluent. Rien ni personne, avant la mort, n'est jamais figé. Tout se transforme, tout est volonté.

Jack Lang
Il est un étrange mélange ou un savant mélange, un étrange et savant mélange entre l'attachement aux grandes traditions françaises, républicaines et un esprit toujours en éveil sinon même en rébellion. Il a toujours en lui ces deux personnages qui ne formaient qu'un ! Ce serait une erreur que de croire qu'il y avait contradiction. C'était une alchimie très... très particulière qui s'organisait en lui-même. Sur certains sujets, il était conservateur ! Conservateur de l'Histoire, conservateur de la géographie, conservateur des grandes traditions, conservateur de la République, conservateur des institutions qu'il avait parfois peine à transformer, mais, en même temps, il était un rebelle et parfois même un provo ! Un provocateur ! Et vous pouviez dans une même action trouver les deux entremêlés.

Roland Dumas

Ce qui m'impressionne le plus, encore aujourd'hui après ces années écoulées, c'est l'unité de cet homme dans sa complexité. L'intellectuel, l'écrivain, l'historien. Mitterrand avait touché à tout. Et chaque face n'était pas artificielle. Sa personnalité a certes été dominée par la politique, mais il n'en était pas esclave. On pouvait aller à n'importe quel sommet du G7, il passait son temps dans l'avion à lire Stendhal ou les mémoires de Casanova. Il se cultivait tout le temps. Même quand il était malade, qu'il ne se levait presque plus, il avait toujours autour de lui des livres. Il lisait. Sous cette multiplicité d'aspects, tous plus intéressants les uns que les autres, il a su éviter la dispersion commune à beaucoup d'individus. Mitterrand existait dans l'unité ; l'unité philosophique, psychologique, sentimentale. Il était à la fois un bloc et un être multiforme.

Hubert Védrine

La conscience de son destin ! La rencontre entre la conscience de son destin et celui de la gauche, la façon dont il reprend, dont il reconstruit complètement ce qu'est la gauche en France à partir du moment où il l'a rencontrée et la façon dont il repense les moyens, la stratégie, les étapes. Et c'est là où il retrouve son unité pour être au bout du compte ce qu'il pensait devoir être depuis qu'il était extrêmement jeune, c'est-à-dire le premier des Français.

Jean-Louis Bianco

Alors que nous étions tous les deux en Inde – et l'Inde est un pays que je connais assez bien et que j'aime bien –, je lui dis : « Est-ce que vous connaissez cette citation de Moravia qui dit que l'Inde est comme un éléphant? Quand on touche la trompe on croit que c'est une trompe, quand on touche l'oreille on croit que c'est une oreille, quand on touche une patte on croit que c'est une patte, et en fait l'Inde c'est beaucoup plus compliqué que ça. » Et François Mitterrand a laissé un temps de silence, il m'a regardé et a dit : « Est-ce que vous ne croyez pas qu'on est tous comme ça. Pas l'Inde, les gens, les êtres humains. Tous très compliqués. Alors, la clé, la boussole, pour moi, ça a été la fidélité. »

André Rousselet
Un jour, je lui ai dit d'une façon irrespectueuse : « On ne peut vous comparer qu'à un secrétaire anglais, vous savez ces secrétaires anglais, XVIIe, avec de multiples tiroirs secrets bourrés de cachettes. C'est à peu près l'image qu'on peut se faire de vous avec vos zones d'ombre et vos mystères. Mais selon vous, celui qui vous connaît le mieux, quel est le pourcentage de connaissance qu'il a de cet ensemble ? » Il m'a regardé avec ironie et a répondu : « 30 %. »

Jack Ralite
Il y a un côté romanesque chez cet homme. Il y en a qui disent qu'il était florentin. Il a écrit un sacré roman. En vérité, c'est un personnage de roman.

27

L'éternité, c'est lent

Après le départ de l'Élysée, le combat contre la maladie devient un face-à-face avec la mort. Dans les dernières semaines, Mitterrand revoit ses vieux amis, les compagnons des premiers jours. Le 8 janvier 1996, François Mitterrand s'éteint au petit matin, dans sa quatre-vingtième année.

Marie de Hennezel
Je le sentais angoissé. Il avait une peur, je dirais une peur animale de la mort, une peur physique. Je n'ai jamais senti que sa peur était métaphysique. C'était donc une peur physique, une terreur de ce qui pouvait arriver au corps dans ce moment qu'une de mes patientes qualifiait de séparation de l'âme et du corps. C'était cela qui préoccupait François Mitterrand. Comment son âme et son corps allaient se séparer. C'est la raison pour laquelle il ne manquait jamais une occasion de m'interroger sur la façon dont les gens que j'accompagnais mouraient.
Je l'ai invité à venir me voir dans le service de soins palliatifs dans lequel je travaillais. « Venez voir, venez sentir ce que nous faisons, venez… », lui avais-je dit. Il avait beaucoup de réticences. Sans doute avait-il un peu peur de venir dans cet endroit. Finalement, un jour il s'est décidé. C'était une visite très privée. La presse n'avait pas été informée et même les gens de

l'hôpital n'ont appris sa visite que le matin même. François Mitterrand a été très sensible au climat de ce lieu, qui n'a rien de morbide ou de terrifiant. C'est un lieu de vie. Il l'a exprimé par la suite : il était très impressionné par le calme, le naturel, la vie qu'il y avait là. Très impressionné par les mourants qu'il a rencontrés, dont il s'est étonné qu'ils soient précisément « mourants » ! C'est ce que je ne cessais de lui dire : il y a de la vie jusqu'au bout. Vraiment jusqu'aux dernières heures les gens sont vivants, et c'est cela qui compte. Je crois que cette visite l'avait beaucoup rassuré. Il était rassuré de constater qu'on peut être à quelques semaines de sa mort sans souffrir horriblement et qu'on peut être « en vie ».

Roland Dumas
Tout le monde a été frappé par son combat contre la maladie et sa relation avec la mort. Il avait une sorte de contemplation morbide, de fascination. Il aimait parler de sa mort, la décrire. A chacune de mes visites, il commençait la conversation par : « Aujourd'hui, mon cancer est là, je le sens. » Son regard sur la maladie, contre l'adversaire qui le guettait, était constant. A ce moment-là, je repensais à une phrase qu'il m'avait dite souvent quand il était en bon état : « Je ne veux pas qu'on me vole ma mort. » C'était le leitmotiv des années de bonne santé.

André Rousselet
Au cours des six derniers mois de son existence, il a souhaité revoir les lieux où il avait vécu des heures heureuses. Le lieu où il avait été semble-t-il le plus heureux, c'était Assouan. Et il a voulu y aller avec Mazarine et sa mère. Nous avons été quelques-uns à

être conviés à le suivre. Il était déclinant, proche de la fin. Il prenait ses repas avec nous, mais il était tassé sur son fauteuil, prostré et silencieux. Et nous, nous bavardions autour de lui. Quelquefois dans la conversation nous cherchions un nom de lieu ou de personnage. Il se réveillait, sortait de sa léthargie et disait : « Ah ! mais vous parlez d'untel... » Il était présent, mais il n'intervenait que quand l'absolue nécessité s'en faisait sentir et qu'il constatait nos défaillances de mémoire. Nous sommes remontés jusqu'au grand barrage au nord d'Assouan, il était allongé sur une chaise longue. En fait, il était à bout. Il fallait le porter. Le soir, nous étions deux pour l'emmener dans sa chambre. Il aurait souhaité rester à Assouan, mais tout le monde n'était pas d'accord. Le retour a été anticipé pour revenir avant le 1er janvier, mais je pense qu'il goûtait à ce point ce dernier séjour qu'il se serait parfaitement complu à rester plus longtemps.

Jack Lang
Je l'ai vu à Latche pour le réveillon du Nouvel An. Contrairement à ce qui fut écrit, il ne pouvait quasiment rien manger, ni rien boire et, pour la première fois, il n'a pas pu s'asseoir à la table commune. Alors il m'a dit, sans se plaindre : « C'est comme si j'avais la Gestapo en moi ! »
Et malgré la souffrance, il prenait sur lui de m'interroger avec la même curiosité amusée sur les films, les livres, les enfants, un récent voyage en Argentine, la vie politique. Cette même générosité tournée vers les autres.
Il me dit, apaisé : « J'ai réglé en moi-même la question philosophique. »
Le lendemain, je compris – sans vouloir l'accepter –

273

qu'il avait décidé de tirer le rideau et de partir vers un autre voyage. Il a refusé tout médicament et toute alimentation. La dignité et la noblesse d'âme l'ont accompagné jusqu'à la dernière minute.

28

Mazarine Pingeot :
une mémoire

— Votre père vous donnait-il des indications de lecture ?

Jamais mon père ne m'aurait imposé une lecture quelle qu'elle soit. Ça c'est sûr. S'il avait aimé un livre, il pouvait me le conseiller, m'en parler. S'il avait envie de le lire, je le lisais. Mais nos rapports ne comportaient jamais des termes d'imposition. Enfin c'était vraiment toujours inscrit dans un dialogue général. Donc les livres qu'il me donnait envie de lire, je les lisais. Et en l'occurrence lorsqu'il en parlait avec un certain bonheur. C'est un peu quand même à lui que je dois une certaine culture littéraire de base, classique. Comme dans toute éducation, je suppose. Il me conseillait peu de livres qui venaient de sortir. Il a surtout approfondi ma connaissance classique de la littérature.

— Si je vous demandais de citer un héros de roman qu'il aimait ?

Est-ce qu'il aimait un héros de roman particulièrement ? Je pense que, par exemple, un livre qu'il aimait énormément, c'était *Les Frères Karamazov*, mais en revanche savoir quel était le frère qu'il préférait..., c'est une autre question. L'intérêt, c'est surtout d'avoir un panel psychologique de personnalités aussi profond

275

et aussi fin. Je crois qu'il aimait énormément le personnage d'Aliocha, par exemple. Mais ce qu'il appréciait, c'était surtout la profondeur de la description humaine de Dostoïevski.

– Vous la sentez, vous aussi, la dimension romanesque de sa vie ?

Oui, je pense qu'il y a une dimension romanesque dans sa vie. Il a une vie effectivement qui prêterait à de nombreux romans. Je ne sais pas si lui-même pouvait avoir une vision littéraire de sa propre vie. Mais c'est tout à fait possible dans la mesure où il voyait, un petit peu je pense, le monde à travers le prisme de la littérature. Effectivement, lui-même est un personnage dont pourraient s'emparer beaucoup de romanciers.

– Est-ce que vous avez senti de sa part un souci de vous initier, plus ou moins, à la politique ?

En fait, mon père ne m'a pas vraiment initiée à la politique. Je pense qu'il y a à ça plusieurs raisons. D'une part, il avait une certaine habitude de cloisonner ses différentes vies. Il n'y avait pas vraiment de passerelles entre tout ça. Et d'autre part, parce que je ne lui manifestais pas du tout ni la curiosité ni le besoin d'en apprendre davantage. On regardait très souvent les informations ensemble. Il commentait. Je ne sais pas si de ma part c'est une sorte de refus ou de rejet de la vie politique. Mais je pense l'avoir vu souffrir de beaucoup de choses relatives à la politique. Je pense que je me suis écartée de ça volontairement. Et puis je ne suis pas sûre qu'un enfant s'intéresse toujours à ce que font ses parents. Enfin, en tout cas, avant un certain âge. Aujourd'hui, je pourrais m'y intéresser beaucoup plus, mais l'adolescence est un moment de rupture. De ce point de vue, banalement psychologique, j'étais plutôt en retrait de cet aspect-là de sa vie. Je pouvais lui poser des questions sur certains points qui m'intéressaient, qui étaient d'actualité... des manifestations d'étudiants auxquelles je participais. Je pouvais discuter de ça avec lui lorsque l'on était vraiment dans le vif du sujet, autrement c'était un sujet de discussion marginal entre nous, et non, comme d'autres choses, un terrain particulier d'intimité.

— L'avez-vous senti souffrir, à tel ou tel moment de crise, dans telle ou telle situation? Avez-vous senti que la vie publique l'avait parfois atteint, et que quelque chose l'avait précisément blessé?

Mon père était quelqu'un de redoutablement fort par rapport aux attaques, et je pense que s'il est devenu président c'est aussi parce qu'il avait cette qualité. La vie politique est implacable! Moi-même, je ne comprends pas avec quel degré de résistance il pouvait affronter tout ça. En revanche, il est évident qu'il était quand même extrêmement sensible et que des affaires le meurtrissaient beaucoup. Quand on attaquait ses amis, c'est vrai que ça ne pouvait que lui faire de la peine. La chose, je pense, qui l'a le plus atteint pour l'injustice que ça représentait, c'est tout ce qui s'est passé autour de Vichy. Il a vraiment été blessé profondément. Cette époque-là a été vraiment douloureuse parce qu'il éprouvait une injustice insupportable. C'était des attaques de jeunes personnes qui n'avaient absolument pas vécu cette époque, qui s'arrogeaient le droit de condamner sans comprendre. Quand on a monté un réseau de Résistance, on peut être pris par la Gestapo au coin d'une rue, chaque jour. Quand on a vécu ça, je pense qu'on ne peut qu'éprouver une sorte d'injustice incroyable contre ce type d'attaque.

– La protection qui vous était accordée pouvait d'une certaine façon vous peser. Avez-vous eu le sentiment d'être un enjeu entre des gens qui voulaient tout savoir et un groupe d'hommes qui était chargé de vous protéger ?

J'ai été suffisamment protégée pour ne pas m'apercevoir de l'enjeu dont j'étais l'objet. En revanche, c'est surtout aujourd'hui que je suis traquée, que je prends conscience à quel point il y avait des contradictions dans la vie que je menais, et dont j'étais absolument inconsciente lorsque j'étais encore inconnue. Et une fois que j'ai été connue, tant que mon père vivait je restais quand même dans une sorte de sphère protectrice… Je n'étais pas vraiment exposée, parce que je pense que du fait de sa maladie les journalistes se sont un petit peu abstenus pendant quelque temps – un court laps de temps. En revanche, du jour au lendemain, lorsqu'il est mort, je suis effectivement devenue une proie. Parce qu'il n'y avait plus sa stature pour faire face et éloigner les curiosités mal placées, les traques. Et là vraiment je me suis aperçue que d'abord j'avais effectivement été protégée et que je représentais quelque chose qui m'échappait et qui a à voir avec une image que je dois assumer alors que je ne l'ai pas choisie.

– Lisez-vous ce qui s'écrit sur votre père ?

Non. Pour l'instant, j'ai beaucoup de mal à lire ce qui a été écrit sur mon père. D'abord parce que ce n'est pas l'homme que j'ai connu. C'est une vision objecti-

278

vante ou extérieure d'un personnage, qui reste un personnage. Moi, je n'ai pas connu un personnage. J'ai connu mon père ; pour moi, c'est donc un rapport complètement autre à la personne. J'ai envie de préserver le rapport que j'ai eu avec lui, qui n'avait absolument rien à voir avec tout ce qu'on a pu dire sur la figure qu'il pouvait représenter. En outre, ça ne me paraît pas évident qu'un enfant sache tout sur la vie de son père, ou de sa mère. Je pense que les parents ont leur vie, les enfants la leur. Je ne suis pas tout à fait d'accord sur le fait d'empiéter sur l'intimité de ses parents. Je reste donc un peu réfractaire à la lecture de tous les ouvrages qui peuvent paraître sur lui.

— Que pensez-vous qu'il restera dans l'histoire de François Mitterrand ?

Rien de tout ce qui est en train de se dire en ce moment. Ça c'est sûr. Enfin, les passions qu'il a engendrées depuis qu'il est mort, je pense que cela relève vraiment de l'actualité et du rapport qu'il a entretenu avec un certain milieu parisien et la presse, qui rejaillit aujourd'hui dans toute sa violence. Mais je pense que l'Histoire ne retiendra pas les rumeurs engendrées par la passion. Ce qui restera dans l'Histoire, c'est l'accession de la gauche au pouvoir, c'est l'abolition de la peine de mort, ce sont des mesures sociales jusqu'en 1983 absolument gigantesques, c'est la réunification allemande, c'est l'Europe. Ce sont ces décisions historiquement très importantes qui resteront.

— Vous faites confiance au jugement de la postérité... ?

Je suis beaucoup plus confiante... J'attends que l'on passe de l'actualité à l'Histoire. Je ne sais pas quel est le délai pour entrer vraiment dans la postérité. Aujourd'hui, on n'est pas dans la postérité, on est dans la passion. Je ne sais pas combien de temps ça durera, je reste patiente. C'est évident qu'il entrera dans l'Histoire. On n'a pas gouverné un pays pendant quatorze ans sans entrer dans l'Histoire, surtout lorsqu'on est l'un des initiateurs d'un projet comme l'Europe. Il ne faut pas oublier non plus que la gauche n'avait pas été au pouvoir depuis longtemps.

– Vous dites que la période qu'on vit en ce moment est une période de passions. Ne peut-on dire que, d'une certaine manière, votre père a exprimé les passions contradictoires des Français au cours du XXᵉ siècle ?

Ah oui, tout à fait ! C'est sûr que, s'il y a des passions aujourd'hui, c'est bien qu'on vivait un rapport passionnel avec lui. Et si l'on avait un rapport passionnel avec lui, c'est qu'il l'a entretenu. C'est un personnage, je pense, qui ne pouvait qu'engendrer des passions. En revanche, lorsqu'il était encore présent, le débat était plus intéressant, il y avait un dialogue possible. Aujourd'hui, il n'y en a plus ; ce qui est d'une relative lâcheté. Aujourd'hui, il n'y a plus trop de répondant. Je trouve ça gênant, sur la scène politique.

– La question n'avait pas trait seulement aux passions qu'il a engendrées, mais à la façon dont il a porté, représenté, incarné les passions françaises au cours de l'histoire de plus d'un demi-siècle...

Je pense que c'est un homme français dans toute la richesse du terme. Dans toute l'acception même géographique du terme. Les passions provinciales, les passions parisiennes, les vies différentes, une certaine intégration à une bourgeoisie et à la fois une immense liberté d'esprit et... hors cadre. Oui, je pense qu'il a concentré de ce point de vue-là pas mal de paradoxes, mais qui font toute cette richesse. Et, de ce point de vue, on a pu effectivement se projeter, retirer tel côté, ne pas aimer un autre côté. Moi, ce que j'aime, c'est justement la complexité dans l'unité. C'est ça qui est intéressant.

Table

Crédits iconographiques

1a : D. R.
1b : Fondation nationale des Sciences politiques CHEVS/Fonds Sciences politiques
2a : D. R.
2b : Coll. Pierre Pea/Sipa
3a : D. R.
3b : D. R.
4a : D. R.
4b : Présidence de la République française
5a : D. R.
5b : D. R.
6a : Archives nationales
6b : Coll. Pierre Pea/Sipa
7a : Institut François-Mitterrand
7b : Roger-Viollet
8a : Fondation nationale des Sciences politiques CHEVS/Fonds UDSR
8b : Keystone
9a : Vals/Scoop-Paris Match
9b : Agip/Rue des Archives
10a : Fondation nationale des Sciences politiques CHEVS/Fonds UDSR
10b : AFP
11a : Paris International Presse
11b : Monique et Pierre Guéna/Compagnie française de Documentation
12a : Julien Quideau/*L'Express*
12b : M. Bidermanas/ANA
13a : Armelle Brucelle/Corbis-Sygma
13b : Claude Azoulay/Scoop-Paris Match
14a : Georges Merillon/Gamma
14b : Monique et Pierre Guéna/Compagnie française de Documentation
15a : Claude Azoulay/Scoop-Paris Match
15b : Georges Gobet/AFP.
16a : D. R.
16b : D. R.

RÉALISATION : PAO ÉDITIONS DU SEUIL.
IMPRESSION : BUSSIÈRE CAMEDAN IMPRIMERIES À SAINT-AMAND (CHER).
DÉPÔT LÉGAL : OCTOBRE 2000. N° 43862 (003711/1)

Nasser
Le Seuil, 1971

L'Indochine vue de Pékin
(entretiens avec le prince Sihanouk)
Le Seuil, 1972

André Malraux, une vie dans le siècle
Le Seuil, prix Aujourd'hui, 1973
coll. « Points Histoire », 1976

Un sang d'encre
Stock-Seuil, 1974

Les Émirats mirages
en collaboration avec Gabriel Dardaud et Simonne Lacouture
Le Seuil, 1975

Vietnam, voyage à travers une victoire
en collaboration avec Simonne Lacouture
Le Seuil, 1976

Léon Blum
Le Seuil, 1977
coll. « Points Histoire », 1979

Survive le peuple cambodgien !
Le Seuil, 1978

Le Rugby, c'est un monde
Le Seuil, coll. « Points Actuels », 1979

Signes du Taureau
Julliard, 1979

François Mauriac
1. Le Sondeur d'abîmes (1885-1933)
2. Un citoyen du siècle (1933-1970)
Le Seuil, Bourse Goncourt de la biographie, 1980
coll. « Points Essais », 2 vol., 1990

Julie de Lespinasse
en collaboration avec Marie-Christine d'Aragon
Ramsay, 1980

Pierre Mendès France
Le Seuil, 1981

Le Piéton de Bordeaux
ACE, 1981

En passant par la France
Journal de voyage
en collaboration avec Simonne Lacouture
Le Seuil, 1982

Profils perdus
53 portraits contemporains
A. M. Métailié, 1983

De Gaulle
1. Le Rebelle (1890-1944)
2. Le Politique (1944-1959)
3. Le Souverain (1959-1970)
Le Seuil, 1984, 1985 et 1986
coll. « Points Histoire », 3 vol., 1990
préface de René Rémond

Algérie : la guerre est finie
Éd. Complexe, Bruxelles, 1985

De Gaulle ou l'éternel défi
en collaboration avec Roland Mehl
Le Seuil, 1988

Champollion
Une vie de lumières
Grasset, 1989

Enquête sur l'auteur
Arléa, 1989
Le Seuil , coll. « Points Actuels », 1991

Jésuites
1. Les Conquérants
2. Les Revenants
Le Seuil, 1991, 1992

Le Citoyen Mendès France
en collaboration avec Jean Daniel
Le Seuil, coll. « L'histoire immédiate », 1992

Voyous et Gentlemen : une histoire du rugby
Gallimard, coll. « Découvertes », 1993

Le Désempire
Figures et thèmes de l'anticolonialisme
en collaboration avec Dominique Chagnollaud
Denoël, coll. « Destins croisés », 1993

Une adolescence du siècle
Jacques Rivière et la NRF
Le Seuil, 1994

Mes héros et nos monstres
Le Seuil, 1995

Montaigne à cheval
Le Seuil, 1996
coll. « Points », P 500, 1998

L'Histoire de France en 100 tableaux
Hazan, 1996

Mitterrand. Une histoire de Français
1. Les Risques de l'escalade
2. Les Vertiges du sommet
Le Seuil, 1998
et coll. « Points », 2000

Greta Garbo
La dame aux caméras
Liana Levi, 1999

OUVRAGES DE PATRICK ROTMAN

Le Reporter engagé : trente ans d'instantanés
photographies d'Élie Kagan
Anne-Marie Métailié, 1989

La Guerre sans nom
Les appelés d'Algérie, 1954-1962
(avec Bertrand Tavernier)
Seuil, 1992, et « Points Actuels », 1994

et en collaboration avec Hervé Hamon

L'Affaire Alata
Pourquoi on interdit un livre en France
Seuil, « L'histoire immédiate », 1977

Les Porteurs de valises
La Résistance française à la guerre d'Algérie
Albin Michel, 1979 ; Seuil, « Points Histoire », 1982

L'Effet Rocard
Stock, 1980

Les Intellocrates
Expédition en haute intelligentsia
Ramsay, 1981 ; Complexe poche, 1985

La Deuxième Gauche
Histoire intellectuelle et politique de la CFDT
Ramsay, 1982 ; Seuil, « Points Politique », 1982

Tant qu'il y aura des profs
Seuil, « L'épreuve des faits », 1984, et « Points Actuel », 1986

Génération
1. Les Années de rêve
Seuil, 1987, et « Points », P 497

Génération
2. Les Années de poudre
Seuil, 1988, et « Points », P 498

Tu vois, je n'ai pas oublié
Seuil, 1990, et « Points Actuels », 1991

ŒUVRES AUDIOVISUELLES

La Guerre sans nom
(avec Bertrand Tavernier)
diffusé en salles en février 1992, par Canal + en 1993

L'Écriture ou la vie, Jorge Semprun
(avec Laurent Perrin)
diffusé par Arte en 1996

Le Destin de Lazslo Rajk
(avec Jérôme Kanapa)
diffusé par Arte en 1996

Les Brûlures de l'Histoire
60 émissions, 1993-1997, diffusées par France 3
Sept d'or en 1995

La Foi du siècle
(avec Patrick Barbéris)
4 × 52 mn, diffusé par Arte en 1999

Mitterrand, le roman du pouvoir
4 × 52 mn, diffusé par France 3 en 2000

et en collaboration avec Hervé Hamon

Tant qu'il y aura des profs
(avec Jacques Brissot)
3 × 52 mn, diffusé par A2

Génération
(avec Daniel Edinger)
15 × 30 mn, diffusé par TF1